KB104139

조선의 인플루언서
藝人(예인) 기생,
그들의 예술 이야기

저 김지혜

BOOKK

조선의 인플루언서
藝人[예인] 기생,
그들의 예술 이야기

발 행 | 2024년 8월 1일
저 자 | 김지혜
펴낸이 | 한건희
펴낸곳 | 주식회사 부크크
출판사 등록 | 2014.07.15(제2014-16호)
주 소 | 서울특별시 금천구 가산디지털1로 119 SK트윈타워 A동 305호
전 화 | 1670-8316
이메일 | info@bookk.co.kr

ISBN | 979-11-410-9920-6

www.bookk.co.kr

조선의 인플루언서

藝人[예인] 기생,

그들의 예술 이야기

저 김지혜

책을 펴내며

음악이라는 것은 너무도 흔하고 익숙하여 이제는 입는 옷처럼 일상이 되어버린 문화이자 오늘날 K문화를 선도하는 현상이 되었다. 신분이나 장소에 따라 나눠는 고급음악·저급음악과 같은 선별적 음악이 따로 있는 것이 아닌 그저 개인의 취향 및 정서에 따라 음악의 장르도 다양해졌다. 먹고 살기 힘들 때는 음악이라는 것도 고상한 문화예술 내지는 고급취향으로 여겨졌지만 지금과 같은 문화의 홍수시대에는 음악은 누구에게나 공평하고 다양한 그것이 되었다. 그러나 이러한 음악도 오늘날 대중음악에 한정한다. 클래식음악이나 한국의 전통음악이라 불리는 '국악'으로 말한다면 사정이 달라진다.

국악은 특정한 국가의 대표성을 가진 음악이다. 애국가가 국가이고 무궁화가 국화이듯, 국악은 한국을 대표하는 음악이다. 그러나 처지를 들여다보면 궁색해진다. 국악은 어렵고 재미없고 지루하다는 인식이 그렇다. 이런 질문들을 받으면 나는 꽤 많은 부분을 쿨하게 인정하면서 말한다. 모든 대화는 경청과 공감에서 시작된다고 했으니… 그러나 국악연주를 단 한번도 듣지 않고 그러한 생각을 가졌다면 아닌 것은 바로잡아야겠다는 생각은 전공자로서 사명감이자 책임으로 느끼고 있다. 나 역시도 우리음악을 깊이 알기전에는 똑같은 생각을 했기 때문이다. 나의 사례를 전해본다.

나의 음악적 행보의 시작은 피아노였다. 일찍부터 피아노를 쳤기에 당연히 대학에서도 피아노를 전공해야 하는 줄로 알았다. 그러나 뚜렷한 목적과 방향성 없이 시작한 피아노에 나의 흥미는 오래가지 못했고, 음악은 다시는 하지 않겠다던 내가 아이러니하게도 전혀 관심도 정보도 없던 국악을 현재 전공하게 되었으니 어찌보면 음악이라는 것은 이토록 무서운 매력이 있다는 것이 지금도 놀랄 뿐이다. 그저 아쉬운 마음에 다시 해보고 싶었던 음악일 뿐이었는데 감사하게도(?) 대학에 입학할 때 '수석'이라는 영예를 안겨주었으니 이후의 일들은 나에게는 누구에게도 밝힐 수 없는 웃지 못할 고난의 연속이었다. 그도 그럴것이 작곡 관련한 이론이나 작곡법 등을 얼마 배워보지도 못한 채 작곡을 전공하게 되었고, 국악기 중 어느 것 하나라도 어떻게 생겼는지도 모르는데도 국악을 전공했으니 말이다. 수석이라는 타이틀을 숨기면서 사람들의 관심을 피하고 싶을 정도로 국악에 대한 나의 무지함을 보이지 않으려 부단히 애를 썼던 대학생활 4년이었다. 남들은 열심히 공부해서 휴학 없이 졸업한다지만 나는 이 답답한 생활을 빨리 졸업하려 소위 말하는 '칼졸업'을 했다.

나의 인생 중 '우리음악 이야기'의 진정한 시작은 대학원 석사과정부터이다. 이왕 한국음악을 알기 시작했으니 우리음악이 어떤 것인지 스스로 답을 내보고 싶어 석사과정에 입학을 하였고 하나씩 퍼즐이 맞춰지기 시작했다. 남들에게는 당연한 일상과 현상이 나에게는 작은 환희의 연속이었던 것은 이제서야 밝히는 부끄러운 회고이다. 이후, 박사과정에 입학하여 잠시 그만둘 뻔한 위기 역시 있었으나 가족들의 대단히 뜨거운 기도와 만류로 인하여 무사히 마칠 수 있었던 것도 지금 돌이켜보면 참 다행인 순간이자 감사한 마음이다. 이렇게 우리음악에 대해 너무도 무지했고 심지어 좋아하지도 않았던 내가 한국음악 이론을 전공한 '음악학박사'가 되었다.

최근의 트랜드는 '융합'이다. 인문과 예술의 만남, 과학과 예술의 만남, AI

국악 등의 이슈가 이미 현상이 되었다. 한국음악의 역사와 현재의 현상을 인문학적으로 이해하기 위해 2020년 다시한번 '문화콘텐츠학'에 대한 연구를 하게 되었고 감사하게도 2024년 2월 '문화콘텐츠학' 박사학위를 받게 되었다. 박사학위 논문의 주제는 한국음악에 관련한 내용으로 꼭 하고 싶었고 감사하게도 지도교수님은 전적으로 지지해주셨다. 그 결과 전통음악의 한 축을 계승했음에도 잘 알려지지 않은 직업군이자 여성인 '기생'에 대한 연구를 할 수 있었다. 이 책은 2024년 2월의 문화콘텐츠학 박사학위 논문인 '일제강점기 권번 소속 전통예인 기생의 예술콘텐츠 연구'를 정리한 것이다.

음악에는 빠른 음악이 있고 슬픈 음악 혹은 즐겁고 밝은 음악이 있듯, 우리의 인생도 이와 비슷하다. 음악으로 위로를 얻기도, 무거운 감정을 해소하기도 한다. 이렇듯 음악이 우리에게 가져다 주는 행복은 때로는 가장 친한 벗 그 이상일 때도 있다. 그러나 음악과 문화를 업으로 삼는 사람들에게는 그 무게가 다를지도 모르겠다.

오늘날 대형기획사의 인기있는 아이돌 그룹이나 연예인들은 남부러울 것 없는 최고의 직업이자 '인플루언서'이다. 연예인이라는 직종은 최고의 반열에 오를 수만 있다면 부와 명예를 가질 수 있는 선망의 대상이 되었다.

오늘날에만 연예인이 있는 것이 아니었다. 조선시대부터 일제강점기까지 오늘날의 연예인에 해당하는 똑같은 이들이 있었으니 바로 '기생'이다. 권번이라는 공간이 오늘날의 기획사였고 '기생'이라는 여성들은 최고의 문화예술을 선보이며 그것을 업으로 했던 명실상부 최고의 연예인이었다. 일제강점기를 거치면서도 국악의 장르 중, 궁중예악의 문화와 풍류음악 및 민속악의 일부 음악의 전승이 끊기지 않았던 이유는 전통예인이었던 '기생'의 역할이 컸다. 이러한 대단한 업적에도 그녀들이 천대와 선입견의 대상이 된 이유는 무엇일까?

이 책에서는 궁중여악의 계승자였으나 일본식 제도 가운데 권번이라는 조직에 소속되어 요릿집과 극장 등을 오가며 생계를 유지해야 했던 전통예인 기생들에 대한 편견을 재조명한다. 또한 그녀들의 전통예술을 중심으로 한 음악적 삶을 서술하고자 한다. 시대의 굴곡진 역사 속, 창기로 대접받는 시선 속에서도 역경의 삶을 살아왔지만 새로운 문물에 적응해나가며 패션과 음악, 문화트렌드를 선도했던 신(新)여성상의 주인공인 기생. 그녀들의 유산과 음악문화 활동을 다양한 자료와 사진을 통하여 살펴보고자 한다. 다만, 한국 전통음악의 장르별 세분화한 음악적 구분은 앞으로의 연구과제로 남겨둔다.

지금까지 이 모든것. 모두 주님의 은혜였음을 고백한다. 더불어 석사과정부터 박사과정, 또 한번의 박사과정까지 긴 시간동안 늘 한결같이 응원해주고 지지해준 남편, 환한 웃음이 매력적인 속 깊은 아들이자 최고의 선물인 성준이, 그리고 지금까지 등대와 같이 옆에서 든든히 지켜주시고 부족함 없이 최고의 사랑만 부어주신 부모님과 나의 자랑스런 동생 지인이와 멋진 규하에게 무한한 고마움을 전한다. 또한 부족한 며느리를 항상 아껴주시고 지지해주시는 아버님께도 감사함을 전한다. 특별히, 박사학위 과정부터 논문에 이르기까지 부족한 제자에게 무한한 지지를 해주시고 배려해주신 이종오 교수님께도 존경의 마음을 담아 깊은 감사의 말씀을 올린다.

마지막으로 나의 롤 모델이자 최고의 여성, 지금은 천국에서 누구보다 진심으로 딸을 응원하고 계실 사랑하는 어머니, 조미정 권사님에게 모든 존경과 감사의 마음을 담아 부족한 표현이나마 큰 딸의 사랑을 전한다.

2024. 여름
김지혜

Contents

2 전통예인 기생의 예술교육

3 전통예인 기생의 음악 이야기

prologue

오늘날 '기생'이라는 존재는 이미 사라지고 없으나 기생은 예로부터 우리 전통문화와 음악예술을 계승했던 주체 중 하나였으며, 20세기 초·중반까지만 하더라도 문화예술 분야에서 왕성하게 활동하던 예인 집단藝人集團이었다. 전통예술을 계승했던 주체였으나 신분의 한계로 인하여 예술적 활동에 대한 대우를 받지 못하였고, 특히 일제강점기에는 예인으로서의 기생을 창기와 구분하지 않고 통제했던 정책과 맞물리게 되어 전통예인으로서의 기생은 점차 민족문화의 계승현장에서 사라지게 되었다.[1]

이러한 과정의 배경에는 조선시대의 유교개념과 궁중 여악女樂[2]을 살펴볼 필요가 있다. 조선시대는 유교를 중심으로 신분의 구분과 제도가 엄격하게 이루어졌다. 신분은 출생과 함께 그 위치가 정해졌으며, 신분에 따라 개인의 생활 또한 공적·사회적으로 규제하고 그 활동의 범위 또한 한정하였다. 즉, 신분에 따라 정치적·사회적 지위가 제한되었으며 직업이 결정되었다. 특히, 백정白丁이나 재인才人, 무격巫覡[3], 창기娼妓 등과 같은 천민에 해

1) 손종흠 · 박경우 · 유춘동, 『근대 기생의 문화와 예술 : 자료편 1』, 2009, p.1.
2) 궁중과 지방관청의 연회에서 가무악을 공연하며 흥을 돋우었던 관기를 뜻함.
3) 무당과 박수(남자무계)를 아울러 일컫는말

당하는 신분에게는 그 제한이 더욱 엄격하였다.[4]

고려시대부터 관기 혹은 기녀라 불린 이들은, 궁중의 가무와 음악 또는 기예를 익혀 나라에서 필요할 때마다 불려가 예능을 펼쳤던 여성 혹은 집단을 말한다. 원칙적으로 조선의 기녀는 관기를 일컫는다. 기녀가 되는 방법은 출생부터 모계의 신분에 따라 정해지는 세습의 방법이 일반적이었지만, 빈곤하여 팔리거나 고아가 된 처자들이 외적인 환경에 의해 기녀의 길로 가는 일도 많았다.

조선시대의 기녀제도는 다양한 전통예능을 가르쳐 궁중 여악의 자원으로 이용된 것을 시작으로 한다. 그 후 조선후기에 이르러, 궁중 및 관청 연회와 사회의 교제에 있어 절대 없어서는 안되는 필수적인 존재로 자리 잡았다. 그 연회와 오락적 연회의 중심에는 지금의 '국악'이라 불리는 한국 전통음악의 다양한 장르와 음악적 요소가 자리한다. 특히 조선시대 유교사회의 엄격한 제한 속에서도 많은 기생들이 그들의 역할을 다양하게 수행할 수 있었던 이유는 기생들에게만 주어졌던 '암묵적 자율성' 내지는 '복식의 자유로움'이 있었을 것으로 추측할 수 있는 대목이기도 하다. 또한, 유교사회에서는 궁중 내연內宴[5]과 친잠례親蠶禮[6]에는 남자악공이 들어갈 수 없었기에 여악들이 주로 담당하였고 이러한 존재양상은 조선시대 말까지 존속된 것으로 볼 때, 여악은 궁중 내 전문예인으로서의 존재감을 드러내기에 충분하다.[7]

조선후기 특히, 일제강점기에 이르러 기생조합은 '권번'이라는 이름으로 명칭이 바뀌어 운영이 된다. 더 이상 관기로서의 기녀가 아닌 권번 소속 기생으로서 경제적인 문제, 계급문제, 권번 내에서의 생존 경쟁과 같은 또 다른 문제들과 엉켜져 경쟁 구도 속 기구한 기생의 삶을 살았던 계급이기도 하였다. 따라서, 근대 '권번기생'이라는 키워드는 일제 식민지였던 시기의 수많은 문제와 모순들이 응집된 또 하나의 대상이기도 하다.

'기생'이라는 신분은 고려시대부터 조선후기와 일제강점기에 이르기까지 다양한 요소와 다각적인 방법론으로 분석하지 않으면 안되는 주제이자 오늘날 풀어야 할 숙제이다. 오늘날 혹자가 '기생'에 대해 논하고자 한다면, 매체 속 드라마나 영화에 등장하는 '황진이'와 같은 인물의 화려하게 치장한 모습이나 창기와 같은 화류계 여성을 대체로 떠올릴 것이다. 그만큼 기생이라는 존재는 외면으로는 화려한 존재인 듯 하나, 그 세월만큼 대중에게 감추어진 사람들이었음을 알 수 있다. 감추어진 세월동안 기생이라는 인물은 그들의 본분이었던 예술적 능력보다는 서서히 공창公娼[8] 제도로 인하여 점점 전락된 이미지로 인식되고 있던 것이다. 그러나 그들이 남기고 간 문화와 예술적 활동은 분명, 오늘날 '국악'이라고 일컫는 전통예술과 전통음악의 특정 갈래의 보존과 계승에 매우 큰 영향을 끼쳤기에, 현재도 끊임없이 전통예인 기생에 대한 역사적 사료와 인물연구를 이어가야 마땅할 가치있는 우리 문화유산임은 틀림이 없다.

오늘날 21세기는 '문화의 시대'라고 불리고 있다. 더욱이 한류 붐에 힘입은 한국 발 다양한 '문화콘텐츠'의 인기는 여전히 현재 진행형이다. 그러나 다른 외부의 장르나 양식에 한국식 습성이나 이미지만을 삽입하여 한국에서 가공작업만 진행한 콘텐츠는, 한국의 정체성을 보여주기에

---

4) 정하영, 『춘향전 개작에 있어서 신분문제:춘향의 신분이동을 중심으로』, 『한국언어문학』17, 1979, p.388.

5) 참석하는 이들을 구분하여 외연과 내연으로 구분하였으며 내연은 주로 왕대비 · 왕비 · 왕세자빈 · 명부(命婦) 등 여성이 참석한 궁중연향 또는 왕실 가족과 친 · 인척이 참석한 궁중연향을 뜻한다.

6) 왕비가 주관하는 궁중행사를 뜻함.

7)조하나 · 김미영, 『조선시대 기생(妓生)의 존재 양상 고찰』, 『한국콘텐츠학회논문지』, 제21권 제4호, 2021, p.1.

8) 공창제란 국가가 성매매를 인정함과 동시에 관리하는 제도를 뜻함.

는 부족한 면이 많다. 21세기의 시작과 더불어 '전통예술문화 콘텐츠화'에 대한 인식의 중요성이 그 어느 때보다 중요한 이유이다. 또한 전통에 대한 인식이 국가적인 차원으로 부각이 되며 사회적 큰 반향을 일으키고 있는 지금 시기야말로, 근대 문화예술사에 큰 족적을 남긴 기생들의 음악문화 자료를 집대성하는 일은 큰 의미가 있을 것으로 보여진다.

예악문화의 아이콘이자 궁중 여악의 대상이었던 기생이 오늘날 성적 대상으로만 변용되어 인식되고 있는 이유와 일제강점기 어두웠던 터널을 지나왔음에도 불구하고 국악의 다양한 소리나 연주 혹은 의식음악 등의 일부 편성등이 그대로 보존되고 있는 이유에 대한 해답을 찾는 과정은 일제강점기의 기생문화를 분석해야 할 이유이자 방향성이기도 하다.

기생이 연주하고 노래했던 대다수의 콘텐츠는 오늘날 국악의 장르이다. 궁중에서 여악들이 단체로 추었던 무용 또한 오늘날 제례악의 중요한 '일무(佾舞)'[9]가 되었고 그들이 연주했던 수 많은 악기 역시 오늘날 국악 '산조'의 형태로 독주편성이 되었다. 더불어 권번 내에서 발표회의 성격으로 개최하였던 극장 공연에는 수많은 관객이 모여 성황을 이루었을 뿐 아니라 기생들간의 수많은 경쟁과 공연 연습중에 피어난 아이디어 덕분에 '사고무'[10]와 같은 대표적인 한국무용의 장르가 탄생하였다는 기록 또한 있다. 또한, 판소리로 당시를 호령했던 많은 여창 중에는 명창으로 유명했으며 판소리 계보의 중요한 줄기를 차지하고 있는 '박녹주'와 '이화중선'과 같은 기생출신 명창들도 있다.

한국 근대의 춤 양식 또한 사료를 거슬러 올라가보면, 서양의 춤 양식이 들어오기 전까지는 조선 춤과 서양 춤 모두 기생들이 추었다고 알려져 있으니 춤을 포함한 모든 연행문화 양식의 전반에 기생들이 깊이 공존하였음을 알 수 있다. 이후로도 근대화 시기 당시, 축음기 레코드나 라디오 방송 및 매체, 잡지 광고 등에는 권번 기생을 제외하고는 방송 편성이 불가능할 정도의 인기였다고 하니, 전통음악이나 예능의 계승자라는 호칭 외에도 다양한 수식어가 가능한 팔방미인의 대상이었다.

따라서 이 책에서는 궁중여악의 계승자였으나 일본식 제도 속 권번이라는 조직에서 교육을 받으며 때로는 요릿집과 극장 등을 오가며 생계를 유지해야 했던 전통예인들을 조명하고자 한다. 창기로 대접받는 시선 속에서도 역경의 삶을 살았으나 또 한편으로는 새로운 문물에 적응해나가며 사회의 신新여성상을 스스로 개척하여 살았던 기생. 이들의 남긴'음악문화 콘텐츠'를 분석하고 다양한 자료와 사진을 통하여 일제강점기 기생의 음악문화사를 기술하고자 함이다.

이 책에서 '기생'에 대한 예술적 삶의 행보를 서술함에 있어 몇가지 범위를 한정하고자 한다. 이를 위해서는 기생의 역사적 개념과 구분, 활동과 장소의 범위를 설정하는 일이 우선되어야 할 것이다.

첫째, 관기 출신과 일패기생을 전통예인이라 한정하고 본 책에서는 '전통예인기생' 만을 그 대상으로 삼고자 한다. 기생의 신분은 일제강점기에 들어 새롭게 놀이문화가 유입됨과 동시에, 기생들의 수준 높은 풍류 놀이문화가 사라지게 되면서 관기나 일패기생과 같은 전통예인 기생들의 음악적 활동과 입지가 줄어들게 되었다. 그러나 일부에서는 여전히 전통예능과 음악을 전승하고 교육받은 수준높은 예인 기생들이 모여 만든 기생조합(이후에 권번으로 변경)또한 존재했다. 조선시대부터 이미 이름난

9) 문묘와 종묘제례에서 제례악의 반주에 맞추어 여러줄로 서서 추는 무용을 뜻함.

10) 고전무용의 하나. 사방에 걸어놓은 4개의 북을 치면서 춤을 춘다.

예인藝妓들이 많았던 지역에서는 보다 수준 높은 기생을 배출해내는 학교와 같은 시설이 있었던 것으로 파악된다. 따라서, 여악을 계승한 관기출신이거나 전통예능만을 지키며 활동했던 기생을 편의에 따라 '예인' 혹은 '전통예인'으로 서술하고자 한다.

둘째, 창기나 매음부, 전통예능의 실력이 현저히 떨어지는 '삼패기생' 등은 이 책의 범위에서 제외하고자 한다. 전통 예능교육을 받을 수 없었거나 실력 경쟁에서 밀렸던 이패기생이나 삼패기생 혹은 삼류권번들은 1920년대에 활발하게 활동하다가 다른 권번에 통합되거나 그 명맥만을 유지하다가 쇠락해갔다. 이들과 전통예인 기생들과는 엄연히 구분하여야 할 대상이다.

셋째, 권번에 소속된 전통예인만을 고찰하고자 한다. 더불어 권번의 활동범위의 기간은 기생조합이 설립된 이후부터 권번이 해체하기 전까지로 한정한다. 이 기간은 일제강점기와 그 시기가 맞물린다. 따라서, 해방즈음의 시기에는 '권번' 또한 공식적으로 해체되기 때문에 전통예인이라 하더라도 권번 소속 이후의 개인적인 예술적 신분 변동 등 사사로운 영역으로 범위를 확장시켜 분석하기 어렵다는 점을 근거로, 본 책에서는 기생조합설립(1908)부터 권번으로 명칭이 변경되어(1914) 해체되기 이전(1947)까지 소속된 전통예인 기생에 한정하여 분석하고자 한다. 권번 해체 이후의 공식적인 자료나 활동영역을 분석하는 것은, 해당 시기 이후의 기생활동의 사실관계가 분명치 않다는 점과 일제강점기에 시도된 '공창화公娼化'에 따라 통합되거나 누락되었을 가능성 역시 배제할 수 없으며, 당시 남겨진 사료 또한 실제와 간극이 클 수 있기에 권번으로 활동한 공식적 자료와 신문기사나 잡지등의 자료에 근거하여 분석하고자 한다.

넷째, 극장이나 대중음악분야의 음악활동을 고찰함에 있어서 전통예인 기생 출신만을 한정하여 서술하고자 한다. 1930년대 이후, 수많은 권번 소속 기생들 중 대중음악분야로 무대를 옮긴 이들이 많았다. 그 중, 외모나 공연의 무대매너 등에만 초점을 둔 일반 기생들의 활약도 두드러졌는데, 예인 기생에 비하여 전통예능의 실력이 떨어짐은 물론이거니와 전통음악을 바탕으로 한 음악활동은 현저히 부족했다. 따라서 본 책에서는 전통예인 기생 출신만을 대상으로 하였다.

다섯째, 권번의 지역범위는 서울과 평양의 유명 권번에 한정한다. 연도별로 서울의 4대 권번은 흡수나 개칭 등으로 권번의 순위가 바뀌는 등 변동은 있을 수 있겠으나 이 책에서는 서울과 평양에 속한 권번에 한정하여 분석하고자 함이다. 그 밖의 기타 권번을 제외한 이유로는 지방의 향기출신에 관한 활동내역이나 기타 지역 권번의 자료가 서울 소속 권번에 비해 현저히 부족하고, 특히 실력이 가장 뛰어난 전통예인들은 대부분 서울의 주요 4대 권번에 속해있었기 때문에 평양에 위치한 주요 1~2개의 권번 등을 제외하고는 서울 중심에 전통예인이 밀집되었다고 볼 수 있기 때문이다. 또한 기생들이 공연을 펼쳤던 대형 극장들도 서울에 주로 위치해 있다는 점도 또 하나의 이유이다.

여섯째, 음악장르를 서술하는데 있어 현재 사용하는 국악 장르의 명칭에 근거하여 세부항목을 서술하고자 한다. 기악부문에서는 지금 쓰이고 있는 국악기의 명칭을 그대로 인용하였으며, 무용부문에 있어서도 국악에서 쓰이고 있는 '살풀이춤', '굿춤' 등과 같이 '춤'이라는 장르의 명칭 그대로 사용하였다.

이 책에서 가장 주목하는 대상은 역시 전통예인 기생이다. 일반 기생과 개념을 구분하는 일이 선제되어야 할 것이며, 일제강점기 권번에 소속되어 있던 전통음악을 기반으로 기예를 갈고 닦았던 전통예인 기생의 음악 활동을 중점으로 그들의 예술문화를 고찰하고자 한다. 기생들의 예술적 삶과 음악문화를 역사적 흐름가운데 그 개념과 왜곡을 바로잡는 한편 기생들의 전통음악을 근간으로 한 음악 스토리텔링을 그녀들의 소속인 권번과 요리집, 극장과 같은 문화 공간을 통해 서술하고자 한다.

앞으로의 향후 연구는 이 책에서 도출된 예인기생에 대한 개념과 정보를 오픈된 공간을 통해 향유할 수 있도록 기생의 예술콘텐츠와 관련한 온라인사이트를 구축하여 보다 실무적이고 대중적인 활용방안을 제시하는 것 까지 그 대상이다. 이 책을 시작으로 앞으로 '기생'이라는 인물과 관련한 영화나 드라마, 뮤지컬 등의 다양한 문화콘텐츠 분야의 원천소스로서 활용되기를 기대한다.

제1부

기생의 유래와 특징

01 기생의 개념 및 역사

1. 기생의 개념

'妓(기생, 기녀)'란 고려시대부터 조선시대에 이르기까지 궁중과 지방 관청의 연향宴享 및 공적인 행사에서 연희와 정재를 담당했던 전통적인 예인[1]을 뜻한다.

문헌에서 '기'라는 용어를 논할 때 '기녀伎女'란, 대체로 '고대기녀가무예인古代妓女歌舞藝人'인 것에 반해 '기녀妓女'는 '여가무예인女歌舞藝人'으로 인식한다는 것이다. 이것은 '기伎'라는 개념이 '기妓'와 다르게 시간적으로 '고대古代'즉, 앞선 시기의 명칭이었고 그 후 분화되어서 매음을 하는 직업의 역할을 지칭하는 문자로서 변별성을 가진다고 본다. 또한, '기생妓生'의 어휘 중, -생生이란, '어떠한 생업으로 생계를 삼고 있는 것'을 뜻한다.

어느 시점부터 '기생'이라는 용어가 쓰였는지는 정확히 알 수 없으나 성리학이 자리잡은 조선중기 이후로 추측된다. 사대부와 기녀의 관계가 당시 밀접하였기에 유사한 방식의 어휘와 이미 소통되고 있었기 때문이다.[2] 따라서, 같은 이유로 '유생儒生'은 유학 공부를 생계로 삼은 선비'라 지적할 수 있다. 따라서 조선 중기부터 그 용례가 보였던 '기생'은 '기업妓業을 생계로 삼는 기녀'라 할 수 있다. 또한, 이러한 기녀의 본질을 '사치노

예'로 말하고 그 기원을 무녀에 두는 연구도 있다.

고려시대부터 조선시대의 기생은 관官에 소속되어 궁중예악에 동원되던 여악제도女樂制度의 대상이었다. 여기서 말하는 연향은, 적은 인원의 연회(宴會)와는 다른 공식적으로 큰 규모의 국가적 의례를 말한다.[4] 고려의 여악女樂에서 시작된 것으로 알려진 조선의 기생문화는 어느 시대를 막론하고 그들의 화려한 외모는 늘 사랑을 받았다. 신분이 높은 양반들과 문인들이 시문을 지어 읊어도, 낮은 신분임에도 지식과 교양을 겸비했던 기생들은 주저않고 운율에 맞추어 즉석에서 시문을 써서 화답하였다. 이러한 기생을 논할 때 '해어화'라는 말을 인용한다. '해어화'라는 단어는 중국에서 시작한 용어로, 진시황이 양귀비를 칭하여 이른 말로서, '말을 알아듣는 꽃' 또는 '언어를 풀이하는 꽃'이라는 뜻이다.

기생에 대한 그림은 신윤복의 풍속화 그림에서도 자주 볼 수 있다. 신윤복은 양반들을 풍자하는 내용을 많이 다뤘는데, 기생에 대한 이미지를 회화에서만 찾는다면 오해의 소지가 더 커질 수 있다. 가야금을 타는 기생과 유희 대상의 기생, 양반들에 대한 풍자가 모두 담긴 회화로 이해하는 것이 더 적절하다.

이렇듯 기생은 다양한 사회적 의미를 지닌 신분이었다. 일본에서는 '유녀', 중국에서는 '기녀', 조선에서는 '기생'이라고 일반적으로 불리었지만 그 외에도 이처럼 수많은 별칭과 호칭 등이 있었으며 기생을 향한 은어나 속어도 많았을 것으로 사료된다.

---

1) 여기서 예인이란, 악(樂) · 가(歌) · 무(舞)를 포함한 기예(技藝)의 실력이 뛰어나고, 그것을 본업으로 하는 '예인(藝人)'을 의미한다.

2) 장덕순, 『黃眞이와 妓房文學』, 중앙일보사, 1983. p. 78.

3) 김용숙, 「韓國女俗事」, 『韓國文化史大系』4,p.563.

4) 미즈타니 사야카, 「여악을 계승한 예인으로서의 기생상(像)에 관한 연구 : '妓'를 '娼'으로 간주한 '근대 기록자들'에 의한 기생상(像)의 왜곡을 중심으로」, 『역사와 융합』 제11호, 2022. p.1.

신윤복,『청금상련(聽琴賞蓮)』 5)

신윤복,『이부탐춘(嫠婦耽春)』 6)

이러한 현상은 비단 조선에만 국한된 것은 아닐 것이라 보여진다. 이러한 다양한 사회적 속성의 의미를 가진 기생. 해어화. 기생을 표현한 '해어화'에 대해 잘 정리해 놓은 것으로, 이능화李能和 7)가 쓴『조선해어화사朝鮮解語花史』가 있다.8)

『조선해어화사』9)는 기생의 역사를 논할 때 자주 등장하는 사료이다. 많은 연구서에서 기생에 대한 자료를 참고할 때 가장 먼저 다루는 자료이자 수 많은 기생에 대한 풍속과 역사에 대해 서술해 놓은 사료이다. 기

1900년대의 대한제국 궁정 관기의 정장사진 10)

생의 역사에 대해 꽤 자세하게 서술되어 있다.

『조선해어화사』에서는 기생의 시초를 삼국시대로 보고 있다. 삼국시대부터 조선시대에 이르기까지 천민의 신분인 기생의 자료와 문집, 역사서 등을 실었다. 또한, 신분이 낮은 천민임에도 사회활동에 꽤 적극적이었음을 보여주었다.

5) 간송미술관 홈페이지, 〈http://kansong.org/museum/collection/〉, (검색일: 2023. 7.8).
6) 간송미술관, 앞의 홈페이지. (검색일, 2023.7.8.).
7) 이능화. 1868~1945. 한성외국어학교의 교사를 거쳐 총독부의 고문으로서 『조선사』의 편집위원을 지냈다. 저서로는 『조선여속고』, 『조선무속고』, 『조선불표통사』등이 있다.
8) 가와무라 미나토, 『말하는 꽃 기생(妓生)』, 유재순 옮김, 소담출판사, 2002, p.32.
9) 이능화, 이재곤 역, 『조선해어화사』, 동문선. 1992.
10) 국립민속박물관 홈페이지, 〈https://www.nfm.go.kr/home/index.do〉, (검색일: 2023.7.9.).

2. 기생의 역사

1) 여악제도와 관기

기생의 역사를 보면, 고려시대에는 사대부들이 관기를 첩으로 맞아 두었다는 기록이 있어 기생을 사물이나 공물로의 존재로도 보았다는 것을 알 수 있다. 조선에 이르러 관기제도를 정비했다고는 하나 표면상으로만 명목이 있었을 뿐이다. 관기제도는 조선 말까지 존재하였으며, 어머니의 신분에 따라 모친이 관기라면 딸도 관기가 되어야 하는 비인간적인 경우도 많았다.[11] 다음 사진은 국립민속박물관에 소장되어 있는 관기들의 모습을 나타낸 것이다.

조선시대의 궁중기에 대한 교습은 각 분야에 따라 담당교사가 있는 것으로 알려져 있다. 궁중정재를 비롯, 연회에 필요한 모든 악·가·무 등을 맡아 지도하였다.[12] 외연[13], 내연[14] 등의 공연을 관장하였던 장악원이

덕수궁 중화전 앞에 모여있는 관기들 [15]

관기의 복식사진 16)

있었으나, 궁중잔치를 위한 주관업무는 '진연청'이나 '진찬소'등이 담당하였다.[17]

외연과 내연에서 행해졌던 공연내용은 크게 두 가지로 나뉜다. 첫째, 의식절차에 따른 악인들에 의하여 연주되는 음악이고, 둘째, 반주음악에 맞추어 기녀들이 추는 정재呈才이다. 앞선 외연의 음악들은 악인들에 의해서,

---

11) 신현규, 『기생:문화콘텐츠 관점에서 본 권번기생 연구』, 연경문화사, 2022, p.15.

12) 장사훈, 「이조의 여악」, 『아세아여성연구』,제 9집, 1970, p.136.

13) 임금이나 신하와 같이 남자를 위한 잔치.

14) 왕대비 혹은 중궁전이나 내병부 등과 관련한 여자를 위한 잔치.

15) 김영희, 『개화기 대중예술의 꽃, 기생』, 민속원, 2006, p.17.

16) 이민주, 「조선후기의 패션 리더-기생」, 『한국민속학』, 제39집, 2004, p.254.

17) 고재현, 「근대 제도개편에 다른 교방 및 기방무용의 변화양상과 특징 고찰 : 갑오경장 이후 해방까지 (1894~1945), 용인대학교 대학원 석사학위논문, 2006, p.18.

내연에 해당되는 음악양식은 정재 반주음악으로서 관기들이 주로 연행하였다.[18] 그러나 궁중의 임금 앞에서 연희를 펼치던 관기들도 이미 1900년대 이전부터 궁중악이 점차 축소되면서 그 역할이 줄어들고 있었다.

궁중여악의 전승자였던 조선의 관기들이 언제까지 활동하였는지는 정확하게 알 수 없으나 당시 신문기사를 통해 당시 국가적상황과 정치적인 기운과 맞물려. 그 활동의 내리막 시기를 가늠할 수 있다.

먼저, 궁내의 음악을 관장하는 장악원이 '교방사'로 명칭을 바꾸었고 1907년에 교방사는 다시 '장악과'로 이름을 달리하며 궁내부에 소속이 되었다.[19] 그리고 역사적으로 어두웠던 시기의 시작. 한일합방이 되면서 '이왕직아악부'라는 이름으로 그 권위가 실추되고 격하되는 과정을 지켜볼 수 밖에 없었다. 이 과정에서 700명 이상의 악인들이 1917년에 이르러, 단 몇 십명만이 남게 되는 수모를 겪게 되기도 하였다.[20] 결국 1945년 해방과 함께 이왕직아악부 또한 자취를 감추게 되며 '구황궁아악부'라는 명칭으로 존속하다가 지금의 '국립국악원'으로 이어지게 된다.

시기별 악무를 담당했던 기관의 연대별 표를 나타내면 다음과 같다.

시대		명칭	설치 시기	설명
신라		음성서	651~	예부(禮部)에 속함
고려	11세기	대악서	998~1308	
		관현방	1076~1391	
		교방	?	속악을 맡아 보던 기관
	14세기	전악서	1308~1392	대악서를 전악서로 개칭
		아악서	1391~1392	관현방을 아악서로 개칭

조선	전악서	1392~1458	향악과 당악을 연주
	아악서	1392~1458	종묘제례악의 연주
	봉상시	1392~1458	종묘·제향 등의 일을 관장
	악학	1419~1458	음악이론에 관한 글을 모아서 악서를 편찬
	관습도감	1393~1466	교방공인이나 관현맹인의 습악
	장악서	1458~1466	전악서·아악서·봉상시를 통폐합 향악·당악·아악의 실제 악무활동 임무수행
	악학도감	1458~1466	악학과 관습도감을 통폐합 악정(樂政)에 관한 업무관장
	작악원	1466~1897	장악서를 장악원으로 개칭
갑오경장 이후	교방사	1897~1907	궁내부 소속
	장악과	1907~1910	
일제강점기	아악대	1910~1913	
	이왕직아악부	1913~1945	
광복 이후	구황궁아악부	1945~1951	
	국립국악원	1951~현재	

시기별 악무 담당기관 21)

위의 표에서 시기별 궁중악무를 담당했던 기관은 국가별로 통폐합이 되거나 기관명칭이 바뀌는 등의 과정이 있었음을 알 수 있다. 특히 일제강점기에 들어서는 '이왕직아악부'혹은 '구황궁아악부'로 개칭되는 등, 일본에 의하여 궁중 장악원의 역할이 축소되고 격하되는 수난의 시기 또한 있었음을 알 수 있다. 그러나 위 표에 근거해서는 악인들과 함께 연희

18) 송방송, 『한국음악악학의 방향』, 예솔, 1998, p.219.
19) 송방송, 『한국음악통사』, 일조각, 1984, p.525.
20) 장사훈, 『한국음악사』, 세광음악출판사, 1993, p.483.
21) 「국악원 발자취 역사기록」, https://www.gugak.go.kr/, (검색일:2023. 7.9).

를 담당했던 관기들의 정확한 활동양상과 행방은 분명치 않다. 궁중 내의 관기들은 장악원 소속이 아니었기 때문에 그들의 행방에 대한 정확한 기록을 찾기는 어렵다. 다만, 기녀들 중 1907년에 내의원 의녀와 상의사의 침선비 등이 폐지된 것으로 보아, 관기의 폐지시기 또한 직제상으로는 1907년이라고 추측할 수 있다.[22] 당시의 신문기사 중, 이와 관련한 기사를 볼 수 있다.

> [기사신규妓司新規] 전설을 문聞한즉 근일 협률사에서 각색창기各色娼妓를 조직 하는데 태의원소속 의녀와 상의사 침선비 등을 이속하여 명왈 관기官妓라 하고 무명색無名色 상패三牌 등을 병부并付하여 명활 예기藝妓라 하고 신음율을 교습하는데 …
>
> - 『황성신문』 1902. 8. 5.[23]

위의 신문기사를 보면, 『황성신문』에서는 태의원의 소속 '의녀'와 상의사였던 '침선비'등을 이속하여 관기라 칭한다고 나와있다. 이 당시에 협률사는 당시 가장 큰 극장으로 건립이 되었고 궁정왕실 행사를 위해 태의원과 관기를 동원한 것으로 보여진다. 더불어 1903년 협률사에서 관기들의 공연이 있었음을 알 수 있다. 그러나 이 당시 공연했던 기생들이 관기였는지 혹은 민간의 기생인지는 기사에 근거해서는 분명치 않다. 그러나 다음의 신문기사를 보면 민간의 극장에서는 관기들이 원칙적으로는 연주할 수 없다는 것을 알 수 있다.

> [책협률사관광자責協律社親先者] 근일 협률사 경황을 문한 즉 逐日 관광자가 운둔무집雲屯霧集하여 가위 휘한성우揮汗成雨하고 연임성유連袵成帷라.… 일작에 일진회 평의장 송병준씨가 해사에 왕하여 경책 왈협률사 연회는 외각국에도 역유한 자나 인민의 영업으로 위지爲之하는 것이오. 이관인 이위차以官人 而爲此는 미개하였고, 기녀의 이용은 유하거니와 관기사용은 만만부당이라. …
>
> - 『대한매일신보』 1906. 3. 16.

위 신문기사에서 협률사는 관이 영업을 주도하는 것이 아닌 민간에서 운영하는 것이고 연주자로서는 기녀가 유하지만 관기로는 '만만부당'이라는 표현을 쓰며 절대 사용할 수 없다고 명기되어 있음을 알 수 있다. 신문기사에 근거한다면 관기들은 극장에서는 공연할 수 없는 대상이라는 것을 알 수 있다. 또한, 이미 관기들의 수가 줄어들고 있는 시점에 궁중가례를 위한 여악에 뽑히기 위해 평양의 기생이 고위 관료에게 주선을 요청한다는 기사도 찾아볼 수 있다. 그 내용은 다음과 같다.

[여흥증가餘興增加] 박람회에서 일주에 일차식 관기官妓의 연예가 유함은 본보에 기게ㄹ揭 어니와 궁중의식시에 연예하던 관기官妓의 무악을 매주에 이차식 주하기로 하였다더라.

- 『황성신문』 1907. 9. 13.

당시 조선의 궁중여악으로 속해있던 기녀들의 부족한 인원을 지방의 기녀로 불러들여 그 인원을 채웠음을 알 수 있는 대목이다. 이후에 다음과 같은 신문기사 또한 실렸다.

[경청警廳의 창기구관倡妓句管] 경시청에서 거토요일에 경관을 각기생가에 파송하여 기생명하에 기부의 도장을 수受하였는데 종금이후는 상방과 약방과 장악과에는 불관케 하고 해청에서 구관한다더라.

- 『황성신문』 1908. 9. 15.

---

22) 장사훈, 『국악명인전』, 세광음악출판사, 1989, p.194.

23) 국사편찬위원회,「한국사데이터베이스-『황성신문』, 1902. 8. 5일자, 〈https://www.history.go.kr/;jsessionid=01432B341047DA5F218925EEB9045A08〉, (검색일, 2023. 6. 20). 본 논문에 실리는 신문 및 잡지의 기록은 국사편찬위원회 홈페이지- 한국사데이터베이스 內 자료출처를 바탕으로 논문에 삽입하였으며 뒤이어 참고하는 신문기사 역시 동일하다. 뒤이어 등장하는 신문기사의 출처는 국사편찬위원회 출처는 생략함을 미리 밝히는 바이다.

위의 내용을 보아 추후 관기에 대한 관리감독은 경시청에서 담당한다는 내용임을 알 수 있다. 이것은 관기들은 더 이상 궁내부와 관련이 없으며 경시청에서 관리를 받는다는 내용을 뜻한다. 위의 기사가 등장할 당시의 상황은 '기생 및 창기 단속시행령'이 공표되었을 무렵임을 짐작한다면 당시 기생에 대한 통제와 감독은 이미 치밀하게 준비되었음을 알 수 있다.[24] 결국 궁중여악을 전승한 대상이자 궁중관기였던 기생이 사라진 시점은 이 무렵이었고, 500여 년을 계승해 왔던 궁중여악이 직제상으로는 1907년에 해체수순을 밟고 1908년에는 사실상 해체되었다고 볼 수 있다.

2) 기생조합소와 기생

기생의 예악전승은 1908년, 관기제도 폐지 수순에 의해 성립된 기생조합이라는 구조 안에서 궁중의 일부 가무음악과 풍류음악이 계승되는 새로운 형태로 재구성되었다. 오늘날 기생에 대한 이미지 실추의 근간이 되었던 첫 사건이 바로 '기생단속령'와 '창기단속령'의 공포이다. 이것은 단순한 시행령이 아닌 전근대사적 예악의 전승자였던 기생을 전통적 관기이미지에서 상품적 가치로 전이시켰다는 점에서 문제가 있다. 연희자의 개념보다 접대부의 성격으로 강화 시켰다는 점은 추후 기생을 통제대상으로 간주한다는 의미이기도 하다.[25] 경시청에 의하여 궁중여악이 실질적으로 헤체됨에 따라 자연스레 관기들은 기생 조합소로 그 장소를 옮기게 되었다. 기생에 대한 엄격한 통제와 관리는 일제에 의하여 이미 계획된 수순이었으며, 이러한 과정속에서 궁중여악의 대상이었던 관기들은 요릿집이나 기생조합에서나 볼 수 있게 되었다.

특히 1908년 공표된 '기생 및 창기 단속시행령'은 여악을 담당했던 관

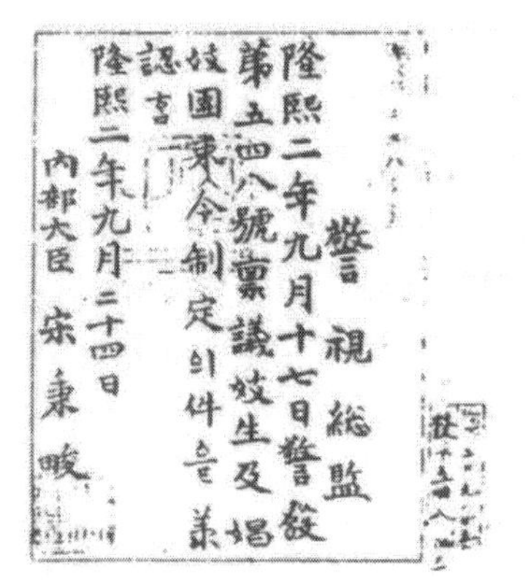
警視總監
隆熙二年九月十七日警發
第五四八號稟議妓生及娼
妓團束令制定의件을裁
認書
隆熙二年九月二十四日
內部大臣 宋秉畯

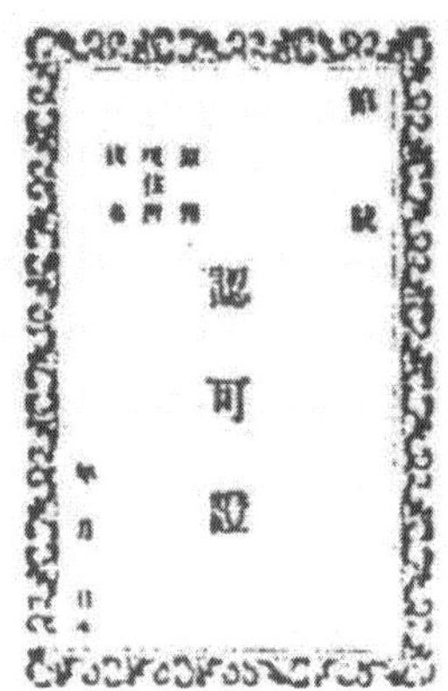
認可證

기생 및 창기 단속령 결제서와 기생인가증 26)

기들에게는 또 다른 시련이 되었는데 이는 조선시대 관기로서의 활동과는 확연히 다른 양상이었던 것이다. 모든기생은 기생으로 활동하기 위하여 조합원으로 가입이 되어야 하며 기생으로서 영업을 하고자 할 때는 경시청에 신고하도록 하는 것이 그 골자이다.[27] 기생과 창기를 구분했다고는 하나 두 가지의 단속령이 함께 공표된 것 자체로도 관기 출신의 예인기생과 창기를 동일시 했다는 점에서 큰 의미가 있다. 더불어 매음부가 아니었던 기생에 대해서도 건강진단을 실시한다는 발표[28] 만 보아도 이미 기생과 창기에 대한 '일체화'내지는 '공창화'에 대한 수순이 이루어지고 있었음을 짐작할 수 있는 대목이다. 이러한 이유로 기생들은 이 당시 경시청으로부터 영업에 대한 인가를 받고, 기생조합을 만들어 활동하기 시작하였다. 또한 조합원으로서 가입을 하여 활동하지 않으면 안되

24) 노동은, 『노동은의 우리나라 음악사 교실 IX』, 낭만음악사, 1994, p.31.

25) 최인택, 「일제침략기 사진그림엽서를 통해서 본 기생기억, 『일본문화연구』, 제67권, 2018, p.64.

26) 김영희, 앞의책, p. 25.

27) 김영희, 『개화기 대중예술의 꽃, 기생』, 민속원, 2006. p.24.

28) 〈예기건강진단규칙〉 예기 급 창기등에게 대하여 횡현, 매독 기타 제반 질병의 유무를 방어하기 위하여 건강진단을 실행하기로 규칙을 작일 관보를 발표하였더라. (『매일신보』1911. 8.2)

었다. 기생조합에 최초 설립에 관한 구체적인 자료나 기사는 미미하나, 1909년 4월자 『대한매일신보』을 보면 기생조합에 관련한 내용이 실린 것을 볼 수 있다. 그 내용은 다음과 같다.

> [광고] 문천기근을 위하야 한성기생조합소에서 양력 사월 초일 일 위시하여 한 십 일연주하와 다소간 기부하올대 원각사 성의를 더욱 감사하와 자에 공포함. 한성기생조합소 백.
>
> - 『대한매일신보』 1909. 4. 1.

'한성기생조합소'라는 기생조합이 대한매일신보의 1909년 4월에 등장한 것을 보면 적어도 1908년 후반에서 1909년 4월 1일 이전에는 기생조합이 등장했던 것으로 보인다. 또 주목할 점은 원각사에서 열흘간 연주회를 연다는 점인데, 이미 기생조합에 소속된 기생들이 또 다른 형식의 공연을 펼치고 있었다는 것이다. 경시청의 명령에 따라 진행이 된 것이라면, 한성기생조합소가 1908년 후반에서 1909년 초 사이에 가장 먼저 창립이 되었고, 이후 수 많은 기생조합이 생겨났을 것으로 추측할 수 있다. 다음의 신문기사를 보면, 한성기생조합의 사례에 따라, 평양에서도 최초의 기생조합은 만들어진다.

> 이월선이는 평양 성장으로 열두살에 기생이 되었고 열여섯살에 평양 예기조합을 ○○하고 그 조합간사가 되어 … 월선의 춘광이 벌써 이십에 둘을 더하니 …
>
> - 『매일신보』 1914. 2. 17.

위 기사를 보면, 이월선이라는 기생이 '평양 예기조합'을 설립하였다는 내용이 담겨있다. 경성은 '기생조합'이라는 명칭을 평양은 '예기조합'이라는 명칭을 썼다는 점이 다르다. 더불어 기생조합 혹은 기생조합소가 활동한 내역에 대한 설명이 담긴 신문도 볼 수 있다.

[기조연주妓組演奏] 기생조합소에서는 해소 경비에 보용하기 위하여 금일부터 야조현 원각사에서 연주회를 행한다더라.

- 『대한민보』 1910. 2. 2.

[고원연주 속개孤院演奏 續開] 기생조합소에서 고아원의 연주회를 설행한다는데 위치는 신문내 「원각사」로 설정하고 구연극을 행할 차로 연극의 재료는 궁내부에 청구하고 내 14일 위시하여 1주일을 설행한다더라.

- 『황성신문』 1910. 4. 10.

[예기열성] 시동時洞예기총중에서 사동 연흥사 내에 연극을 설하고 수입금 오십원을 훈도방학교에 기부하였다고 인개人皆 칭송한다더라.

- 『매일신보』 1910. 9. 9.

『대한민보』 1910. 2월자 기사를 보면, 기생조합소에서 경비를 보용하기 위해 원각사에서 연주회를 연다는 기사가 실렸다. 기생조합에서 경비를 스스로 조달하기 위하여 연주회를 통해 금전적인 부분을 마련한다는 것은 공적단체가 아닌 사설단체로의 조합이라는 것을 의미한다. 관기제도의 직제 속에서는 기생이 궁 소속으로서 존재했으나, 기생조합 소속으로 활동을 하기 위해서는 기생조합에 가입을 하여 감시와 통제를 받으며 스스로 재정을 조달하는데 일조하여야 했던 것이다. 또한, 이전 관기들은 양반의 후원을 받는 기생으로서도 존재할 수 있었으나 기생조합 소속으로서는 이마저도 불가능한 일이었다.

그러나 기생조합 역시 관기처럼 공익을 위한 활동에도 의무를 다하고자 하였다. 이전 관기들이 해오던 후원이나 원조를 위한 연주회를 여는 사례는 여전히 존재했던 것으로 보인다. 특히 『황성신문』 1910년 4월자를 보면 고아원을 후원하기 위해 연주회를 개최하였고, 연극의 수익금을 이들을 돕는데 썼다는 것을 알 수 있다. 또한『매일신보』의 1901년 9월자 기사에 '시동時洞예기'29)에 관한 기록이 있는데 이를 보면, 연흥사에서 연주를 하고 그 수익금을 기부했다는 내용 또한 담겨있음을 알 수 있다. 그 외 지방에도 여러 기생조합소가 활동했다는 기사를 찾아볼 수 있다. 경성에는 최초로 한성기생조합이 세워졌고, 평양은 평양예기조합, 대구는 대구기생조합, 인천은 인천 용동기생조합이 차례로 생겨났다. 이러한 기생조합은 큰 도시들의 대표적인 기생조합으로, 큰 틀에서는 한성 기생조합의 역할과 활동과 큰 차이가 없었다.

[대구화류계 終境] 근래 대구에는 화류사회가 대발전하여 조합소 기생이 삼백삼십명이오 요리옥이 십칠개소인데 …

- 『매일신보』 1912. 2. 3.

[연극이나 하여볼까] 인천용동기생조합소仁川龍洞妓生組合所에서는 근일에 영업이 부산하여 오는 30일이나 혹은 그 이틀날부터 인천축항사仁川築港社를 빌려 연극을 한다는데. 그 연극은 하여 보충이 될는지 몰라. 공론이 분등하다더라.(인천지국)

- 『매일신보』 1912. 6. 28.

[기생조합 의연—기생조합의 의연] 개성군 남부면 도조리 육정동開城郡 南部面都助理 六井洞 연극장에서는 본월 26일까지 이화단이라는 신연극을 설행하다가 27일부터는 당군기생조합當郡妓生組合에서 기생연주회를 설행하였는데 매일 관광자는 삼사백명에 달하고 각 요리점에서 연조금이 다수하였는데 해 금액 중으로 당군 위생조합 시야(矢野》 의원 검사실과 방대 3개소에 붙이기로 내정되었다더라.(개성지국)

- 『매일신보』 1912. 10. 1.

위 기사들은 대구, 인천, 개성의 기생조합과 활동에 관한 내용이다. 특히, 개성에서는 개성 기생조합의 기생들이 연주회를 열었는데 매일 관객이 300~400명에 달하고, 그 연조금이 다수액이라는 내용이다.

이렇듯 관기제도의 폐지와 함께 기생들은 새로운 변화 속에서 기생조합 소속으로 적응해나갔다. 궁중문화와 풍류방 교양을 겸비한 관기의 모습이 아니라 이제는 극장이나 관객이 있는 대도시를 중심으로 활동을 하며, 새로운 관객의 문화적 욕구도 충족을 해야하는 계층으로 변용되었다. 또한, 이 무렵에 협률사를 시작으로 원각사, 광무대, 단성사 등과 같은 극장이 1900년대에 생겨나면서 이들이 공연하는 문화공간이 점점 늘어나는 시기였다.

3) 권번과 기생

1907년 직제로서는 관기가 해체되고 1908년 실질적으로 폐지가 되면서 갈곳이 없어진 기생들은 기생조합소에 소속이 되거나 요릿집에서 활동을 하게 된다. 1908년말에서 1909년초로 알려진 기생조합소의 시작은 기생들의 창구역할이 되었다. 연락이 용이하고 기생조합소이라는 장소성이 전국 각지에서 모여든 기생들의 단합공간이 되기도 하였기 때문이다.

서로의 이해가 모여 기생조합소는 이후 '기생조합'으로 계속해서 생겨나게 되었는데, 그중에 대표적인 기생조합이 바로 '광교기생조합', '다동기생조합'이다. '광교기생조합'은 서울출신 기생과 남도출신의 기생들이 가세하며 많은 인원이 조합에 모여들었고, '다동기생조합'은 주로 서도지역으로 분류되는 평양출신의 기생들이 모였다.

이러한 기생조합들도 일제에 의하여 1914년 일본식 명칭 '권번券番'으로 바뀌게 된다. 역할은 기생조합소와 기생조합과 크게 다르지는 않았으나

29) 신창기생조합을 설립하는 기생을 뜻함.

기생을 관리감독하는 역할에서 그치지 않고, 업무대행과 기생의 '대리연락망'으로서의 역할도 하였다.

당시 권번에 기생으로 들어오는 여성들은 대부분 추천을 받아 들어왔고, 일부는 본인들이 직접 찾아오기도 하였다. 그도 그럴것이, 기생조합소 시절부터 기생들은 이미 극장공연과 다양한 연주활동으로 새로운 대중문화의 계층으로 주목받고 있었다. 이러한 이유로 기생들은 권번에 들어가 교육을 받고 실력을 키워 명기의 반열에 오르기만 하면 부와 명예를 얻을 수 있다고 생각하였다. 그러나 본인이 가지고 있는 전통예능의 실력은 물론이거니와 권번 내 치열한 경쟁과 교육과정까지 통과해야 하는 과정이 결코 쉽지 않았다. 또한 권번에 들어오기 위해서는 회원으로 등록을 해야했고, 회비도 내야하니 금전적인 부담도 만만치 않았다.[30]

기생조합에 대한 최초의 기록은 한성기생조합소라고 알려져 있다. 이를 토대로 다양한 기생조합과 이후 수많은 권번이 생겨났는데 대표적으로 서울에는 '한성권번漢城券番'과 '한성권번漢南券番', '대동권번大同券番'등이 있었고 지방에는 '개명開明', '계림鷄林', '광주光州', '기성箕城' 등의 권번이 있었다. 표로 나타내보면 다음과 같다.

지역	권번 명칭
서울지역	한성권번
	대정권번
	조선권번
	한남권번
	경화권번
	대동권번
	대항권번
	경성권번
	종로권번
	삼화권번
서울 외 지역	개명, 계림, 광주, 기성, 남선, 남원예기, 단천, 달성, 대전, 동래예기, 마산예기, 목포, 반용, 봉래, 소화, 연안,원춘, 인천,인화 전주, 진주예기, 해주 등

서울과 지방의 초기 권번과 명칭 31)

연대	주요권번
1910년대	4대권번 : 한성, 대정, 한남, 경화
1920년대	4대권번 : 한성, 조선, 대정, 한남
1930년대	3대권번 : 종로, 조선, 한성
1946년	4대권번 : 삼화, 한성, 서울, 한강
1948년	2대권번 : 한성, 예성

경성의 대표적인 권번 32)

명칭	권번	주식회사	대표	주소
한성	1914	1936. 9. 10	안춘민	무교정 92
대정	1914	1923. 10. 4	홍병은	청진동 120

30) 이난향, 「남기고 싶은 이야기들」, 『중앙일보』 ,1971. 1월 9일자.

31) 신현규, 「꽃을잡고 : 일제강기 기생인물생활사」, 경덕출판사, 2005, p. 21~25.

32) 仲村資良, 『朝鮮銀行會社組合要綠』 東亞經濟時報社 : 『海日新報』 1942년. 5. 26일자.

한남	1917	-	송병준	공평동 65
경화	1917	-	신태휴	남부시동
대동	1919	1920. 8. 14	황희성	청진동 120
경성	1919	1924. 10. 4	홍병은	인사동 141-2
대항	1919	1923. 10. 4	홍병은	인사동 106
조선	1923	1936. 4. 30	하규일	다옥정 45
종로	1935	1935. 9. 11	김옥교	청진정 164
삼화	1942	1942. 8. 17		낙원동

일제강점기 경성의 조선 기생 권번 33)

1910년부터 광복 직전까지 권번은 일제강점기 기간동안 운영이 되었고, 주로 경성을 중심으로 주요 권번이 활동한 것을 알 수 있다. 관기가 폐지되고 기생조합소와 기생조합 그리고 권번에 이르기까지 40년이 채 안되는 기간동안 권번은 기생들의 몸담았던 곳이자 일거수일투족을 감시받는 장소였다. 기생들에게는 없어서는 안될 소속사이자 생계를 위한 일터였고 음악과 공연활동을 영위할 수 있는 수단의 장소였다.

33) 仲村資良,『朝鮮銀行會社組合要錄』東亞經濟時報社, 1942년판.

02 기생의 구분과 종류

1. 일패(一牌), 이패(二牌), 삼패(三牌)

이능화의 『조선해어화사朝鮮解語花社』에 따르면 마지막은 기생에 종류에 대해 다룬다. 여기서는 '갈보[1]'라는 용어를 쓰면서 기생을 구분하고 있으며, 이러한 표현이 서술되고 있다. 갈보란 매음을 업으로 삼은 여성을 뜻하며 이능화는 일패와 나머지 기생을 엄격히 구분하고 있다.

즉, 기녀 혹은 기생이라고 하는 일패기생과 '은근[2]자'혹은 '색주가' 등의 표현으로 서술한다.

먼저, 일패기생은 궁중에서 예악을 전승했던 관기나 기생조합, 권번을 통해 엄격한 예악을 전수받아 음악적 활동을 했던 기생을 뜻한다. 그러나 이러한 구분은 애초에 있었던 표현은 아니었던 것으로 보여진다. 한초운의 글[3]을 보면, 매춘업을 전혀 하지 않는 기생들에게서 '삼패기생과의 구분을 하지 않아 불만이 터졌다'라는 기록을 볼 수 있다. '격차의 구별'을 하지 않음이 외부로부터 강요되었던 일이었으나, 전통예인으로서 자

1) 사전적 의미로, 매음을 업으로 하는 여자를 지칭한다.
2) 남몰래 정을 통하는 것을 '은근'이라 하며, '은근자'는 은밀히 매춘하는 여성을 일컫는다.
3) 한초운, 「조선의 기생」, 『문예구락부』, 제 16권 제 13호, 1910.

존심이 꺾이는 일임은 자명하다. 전통예인 기생들도 '일패기생'이라는 표현을 의도적으로 사용해서라도 이패와 삼패기생을 구분짓고 싶었으리라 사료된다.

이패기생은 구분이 조금 모호할 수 있다. 의도적으로 표현된 '일패기생' 범위에 속해있었다고 할지라도 나이가 서른쯤이 되면 퇴기가 되어 생계형으로 남의 아내가 되거나 예인의 길을 포기했을 가능성도 배제할 수 없기 때문이다. 그러나 이능화는 이패기생을 '남몰래 정을 통하는 은근자'로 극명하게 표현하였다. 한참 인기가 절정에 다다른 명기를 '일패기생'이라 한다면 퇴물이 된 기생들은 '이패기생'에 해당한다.

삼패기생은 탑앙모리[4]라고 하여 기생이 기본적으로 익히는 가무의 실력에 비교도 안될 만큼 보잘 것 없는 수준의 기생을 말한다. 근대화 초기에는 경성의 곳곳에 삼패기생의 조합이 있었으나 이후 남쪽으로 근거지를 모두 이동하였다. 이후에 지방 관리나 벼슬아치의 후원을 받는 삼패기생들이 대거 생겨나며 이들도 일패와 이패에 대한 구분 없이 모두 기생으로 불리게 되었다.

이처럼 '기생'이라는 용어는 이 시점부터 궁중예악의 문화와 음악적 전승자 혹은 당시 문화를 선도했던 예술인으로서의 이해와 고찰이 없이 매춘부로 낙인이 찍히는 오명을 안게 되었다.

4) 기생 중 삼패를 뜻하며, 매춘 자체를 업으로 삼는 이를 일컫는다.

2. 기(妓)와 창(娼)의 구분과 왜곡

1) 기(妓)와 창(娼) 의 구분

권번과 기생의 '기妓'의 개념은 시점은 정확하지는 않으나 어느 시점에서 급격하게 변질되어 왔다. 기녀 혹은 기생이라는 신분은, 지금은 존재하지도 않음에도 오명을 쓴 '기妓'라는 용어에 덧입혀져서 '창娼'이라는 개념으로만 인식되고 있다. 사람들의 차가운 시선속에 '창娼'이 제대로 이분화되지 못하고 있었다. 그러나 분명 일제 경시청에 의해 관기제도가 폐지된 직후 초기에는 '이분화 정책'이 실시된 것으로 보여진다.

> 近日 閭巷間 買淫資生 ᄒᆞ난 獘風이 甚한 故로 外國人이 往往村家로 探問娼女有無ᄒᆞ야 居民이 驚慮云△러니 日昨에 自警廳으로 各處遊女之夫五十餘名을 招聚分付日以 汝輩賤業으로 空汚良家가 殊甚痛惡이라 國法當禁이되 多數男女를 不可一一重繩이오 亦不可與良民混處則汝等이 若言可居之區域이면 從願施行ᄒᆞ리라 該民等이 擇其便利處告之日大小龍洞與鍾峴苧洞近地가 恐好 라한듸 以四十日爲限 ᄒᆞ고 隨其家勢ᄒᆞ야 或往該處 케ᄒᆞ고 如是令飭之後에 又或雜處於他洞則斷不饒貸라ᄒᆞ고 妓女ᄂᆞᆫ 不在此限이라더라.
>
> -『황성신문』 1904. 4. 27.「娼女定區」

위의 기사를 보면 경시청도 당시에는 '妓'(기)와 '娼'(창) 의 두 집단에 대한 분명한 차이를 구분하고 있었음을 알 수 있다. 1899년 8월 15일에 실린『독립신문』을 보면, 대한제국의 경시청은 기적妓籍에 등록된 기생 즉 '관기'는 존속시키고 갈보, 은근자, 삼패 등의 '娼'(창녀)등은 영원히 폐지시킨다는 내용을 담고 있다. 1904년에는 '매음녀로서의 여성'들을 지정된 지역에 모여 살게 하는 '집창촌'이라는 법적규제를 실시한다. 기생과 창녀집단을 엄격하게 구분함으로써 분명하게 이분화시켰다.[5] 이러한 '집창촌'에 해당하는 것이 오늘날까지 아직 우리사회에 존재하고 있는 '집창촌'의 개념이다. 어느 시점부터 분명 기생의 개념이 왜곡되었다는 점을 알 수 있다.

2) 기(妓)와 창(娼)의 왜곡

1900년대 쓰여진 다음의 기록에는 공적인 행사에서 주악奏樂을 펼친 것으로 알려진 기생들이 단지 창녀로 왜곡되어 있다. 다만 바로잡아야 할 것은, 기록에는 '기생'을 지칭하는 표현 역시 '예창기藝娼妓'로 되어 있다는 점이다. 이 당시의 표현이 의도된 것인지 단지 기록자들에 의한 일시적 오류인지는 더 연구해 볼 문제이다. 다만, 아직 관기제도가 실질적으로 폐지되기도 전인 1900년의 기록에서 주악을 담당했다면 분명 궁중의 악공樂工들과 함께 연행을 하였던 '관기'를 뜻할 터인데, 일괄적으로 '창녀娼女'라고 표현되어 있다는 점은 분명 잘못된 부분이다.

> 今番 太祖高皇帝 影順奉來 時 侍衛ᄒᆞᆫ 功勞로 商務社員 二百餘名이 加資ᄒᆞᆫ지라 昨日 黃土峴 商務支社員들이 加資卓을 新門 外 淨土寺에 設ᄒᆞ고 娼女 十餘名이 人力車를 乘ᄒᆞ고 樂工으로 前導ᄒᆞ야 路上에셔 奏樂ᄒᆞᄂᆞᆫ지라 警務使 李裕寅氏가 巡檢을 出發ᄒᆞ야 該 娼女를 警廳으로 捉入ᄒᆞ얏더니 這間무ᄉᆞᆷ 層節이 有ᄒᆞ던지 少頃 에 所捉 娼女를 放出ᄒᆞ기로 儀節을 更整ᄒᆞ고 一除 凉笠 羅衣가 得意乘車ᄒᆞ더니 未幾에 巡檢이 警廳으로셔 再出趕上ᄒᆞ야 娼女들을 下車步行케ᄒᆞ더니 該巡檢이 未旋踵ᄒᆞ이 車儀 가 依舊ᄒᆞᆫᄃᆡ 警務官一人도 其中에 隨往ᄒᆞ더라.
>
> - 『황성신문』 1900. 5. 26.

1902년에 실린 기사를 보면, 기생에 대한 명확한 구분을 하지 않았다는 것을 명확히 보여준다. 특히, '예기藝妓'라는 용어를 사용하였고, 관기와 삼패, 예기와 관기가 되기 위한 과정을 설명하고 있다.

> 傳說을 聞ᄒᆞᆫ則 近日 協律司에셔 各色 娼妓 를 組織ᄒᆞᄂᆞᆫᄃᆡ 太醫院 所屬 醫女와 尙衣 司針線婢 等을 移屬ᄒᆞ야 名日 宜妓라ᄒᆞ고 無名色三牌等을 并付ᄒᆞ야 名日 藝妓라ᄒᆞ고 新音律 을 教習 ᄒᆞᄂᆞᆫᄃᆡ 또 近日官妓 로 自願新入者가 有ᄒᆞ면 名日 預妓라ᄒᆞ고 宣妓藝妓之間에 處ᄒᆞ야 無夫治女을 許付 ᄂᆞᆫᄃᆡ勿論某人ᄒᆞ고 十人 二十人이 诺社ᄒᆞ고 預妓에 願入ᄒᆞᆯ 女子를 請願ᄒᆞ면 該司에셔 依願許付ᄒᆞᆯ 次로 定規ᄒᆞ얏다더라.
>
> -『황성신문』 1902. 8. 25.

'예기'라는 표현 역시 일본식 표현으로 기생에 대한 의도된 격하 내지는 기생에 대한 이해의 부족으로 밖에 볼 수 없다. 본래 '예기'라는 용어는 가무활동과 매음을 병행하던 일본식 표현이기 때문이다. 따라서 '기생' 혹은 '기녀'라는 표현을 써야하며 궁중여악의 대상을 특정지어 표현할 때는 '관기'라는 표현을 쓰는 것이 올바른 표현이다. 전통문화와 예악을 전승한 자를 표현할때는 '예기'가 아닌 '예인'이라는 표현을 쓰는 것이 적절하다.

1902년은 고종이 60세를 바라보게 되어 즉위 40주년을 맞이하는 해였다. 따라서, 이 당시 많은 공적행사가 있었는데 기존의 궁내부 소속 관기의 수보다 더 많은 기생을 불러들이며 문제가 발생한 것으로 보인다. 기록을 보면, 문제의 표현이 되는 '예기'를 모집한다고 되어 있는 것으로 보아, 이미 궁 밖의 기생들 중 상당수의 이패 내지는 삼패 등의 실력과 품격

---

5) 미즈타니사야카, 「여악을 계승한 예인으로서의 기생상(像)에 관한 연구: '기'(妓)를 창(娼)으로 간주한 '근대 기록자들에 의한 기생상의 왜곡을 중심으로」, 『역사와 융합』, 제 11호, 2022, p.293.

이 떨어지는 이들이 대거 포함이 되었다고 보여진다.[6] 또한, 표면적으로는 기생과 창기를 구분하는 듯 하면서 '가무연행자'였던 기생 혹은 관기들을 일관되게 '창녀'로 기록하는 기록들이 연속적으로 보여진다.

> 近日에 紬緞禁亂한 후로 다시 들은 즉 창기의 平時 衣服은 약목으로 입고 接客할 때만 紬緞으로 한다한 즉 그 妓夫만 부자가 되겠고 기생은 옷도 많이 못입고 한갓 賣淫하는 물건만 된다더라.
>
> - 『대한매일신보 순한글판』 1905. 1. 19 「기부독의」

> 警務廳에서 各署에 申飭하여 기생이나 삼픽 은근자를 물론하고 賣淫 하는 계집들의 轎軍타고다니는 弊를 嚴禁하고 不可不 타고다닐 경우에는 人力車를 타게하라 하였는데 만일 禁令을 어기는 자가 있으면 별반 嚴懲한다더라.
>
> - 『제국신문』 1906. 5. 25

1905년, 『대한매일신보』의 순한글판 기사를 보면 '娼'이라는 표현을 등장시키며 기생을 '매음녀'로 무리하게 넣어서 표현하고 있음을 알 수 있다. 또한 당시 기생들은 성병검사의 대상이 아님에도 불구하고 '기녀'와 '창녀'를 동일시하며 구분없이 그대로 둔갑시켜 모든 대상을 상대로 검사를 받도록 하였다. 이렇듯, 궁중여악의 계승자인 관기와 더불어 전통예능과 음악을 끊임없이 익히며 권번의 경쟁속에서도 최고의 인기를 누렸던 명기 기생들은 '매음부와 '창녀'등으로 왜곡된 이미지의 용어로 불리게 되었다.

물론, 천민계급인 기생의 신분으로서 '가무활동'이라는 직업적인 특성을 가지고 유교사회에서 인정을 받는다는 것이 쉽지는 않았을 것이다. 때로는 남성들의 유희와 조롱의 대상이 되거나 양반들의 후원속에 살았던 기생들도 있었을 것이다. 그러나 기생이 계승한 전통예악과 그녀들이 남겼던 예술적 활동 및 대중에게 기여한 문화를 절대 희석시켜서는 안 될 일이다. 궁중에서는 가무악의 전승자로, 기생조합과 권번에서는 치열한 경쟁속에서도 명기가 되기 위해 끊임없이 실력을 갈고 닦았던 전통예인 '기생'은 엄연히 '창기'와 사회적으로 그 속성이 달랐다.

6) 조영구, 『협률사와 원각사 연구』, 연세대학교 박사학위 논문, 2006, p.22~55.

제 2 부

전통예인 기생의 예술교육

01 기생의 예인문화

기생 '성춘향'이 등장하는 판소리 〈춘향가〉는 판소리 5바탕 중에서도 서사구조와 문학작품으로서의 완성도가 가장 뛰어나다는 평을 받는다. 가장 많은 버전의 스토리를 가지고 있는 서사문학 〈춘향전〉에서 비롯되었기 때문이다.

〈춘향가〉에는 기생 '춘향'이 등장한다. 비록 관기는 아니지만 향기출신인 어머니의 신분을 따라 천민계급의 기생이 되었던 '춘향'은 정절과 지조를 보이는 여성의 이미지만 가지고 있는 것이 아니다. 비록 어머니의 신분을 따라 천민의 계급이지만, 글과 그림에 능통하며 지식과 교양을 겸비했던 신여성상을 보여주기도 한다. 실제 기생도 그러하였다. 특히, 궁중의 관기는 궁의 법도와 품격을 지켜야 했으며, 권번의 기생 또한 예술적 활동뿐 아니라 모든 엄격한 교육과정을 익혀야 했고 그 과정을 통과하지 않으면 결코 최고의 기생이 될 수 없었다.

일제강점기 출판되었던 잡지인 『모던일본』은 당시 유행을 선도했던 기생을 모델로 하여 다양한 광고와 기사를 실었다. 시대상을 반영한 정치적인 색채도 드러나 있으나, 조선 곳곳의 현상들을 담백하게 표현하기도 하였다. 완역본인 『모던일본』의 조선판 1939에서는 다음과 같은 기록을 찾을 수 있다. 일본인 "도고세지東郷青児"가 서술하는 조선 기생의 대한 묘사를 기록한 것인데, 조선기생의 외모와 예술세계를 일본의 기생과 비교하며 표현한 잡지 속 기록은 다음과 같다.

기생

도고 세지(東郷青児)

여러 차례의 한국 여행으로 단골 기생도 많이 생겼지만 우리 같은 여행자 앞에 나오는 기생은 예쁘고 내지인 취향에 맞는 잘 나가는 기생인데 반해, 조선인들 자리에는 보다 조선적인 기생이 있어서 나름의 식견이 있고 자못 명기다운 품격을 갖춘 이가 나온다는 것을 알게 되었다. 내가 자리한 곳에 온 도월선, 백명희, 유금도 등은 참으로 화려하고, 도쿄에서 노는 것과 크게 다르지 않게 명랑함을 자아내는 데 능숙했다. 한번은 복도 건너편 방에 불려들어가 안면이 있는 조선인만의 연회석에 합석한 적이 있는데 그곳에 와 있던 기생은 내게 익숙한 기생의 모습과는 전혀 달라서 불연지도 하지 않고, 눈썹도 그리지 않은 맨 얼굴의 아름다운 이였고 피부는 물처럼 차갑고 투명했다. 나는 그 기생이 가야금을 치며 진지한 표정으로 부르는 남도의 노랫가락에서 진짜 조선을 느낀 것 같아 고개를 숙이고 노랫소리에 푹 빠져들었다.

『모던일본』 조선판 1939

기생이라고 하면, 화려하게 치장한 모습만을 상상하곤 하는데 일본인의 눈에 보여진 조선의 기생은 그렇지 않았음을 알 수 있다. 오롯이 가야금과 남도소리에만 몰두한 '가야금병창' 연주자의 모습을 보인다고 기록되어 있다.

동일 잡지의 또 다른 기사 중, 기생의 춤과 가곡을 감상한 후의 감상을 기록한 내용이 있다. "다케이 모리시게式井守成"라는 일본인으로 1926년 2월, 조선을 방문했을 당시를 기록하였다. 경성에서 이왕직 장관에게 초대를 받아 기생의 가무를 감상하였는데, 그 중 약 1시간이 넘는 소리를 하는 경성기생을 만난 일화이다. 당시 길고 느린 노래를 무리없이 하는 기생의 소리를 끝까지 감상을 못하고 서술자 외 2인을 제외한 나머지 손님들은 이미 다 떠났다는 것이다.[1] 기생이 당시, 불렀을 것으로 짐작되는 노래는, 풍류음악의 대표적인 성악곡인 '가곡', '가사'등의 정가였을 것으로 추측되는데, 이러한 노래가 조선에 없어지고 있는 것 같다는 일본인의 솔직한 의견이 담긴 기록이 전해진다. 당시, 기생들 역시 대중의 유행에 따라 짧은 민요나 단가, 반주무용, 악기연주 등만을 연주했던 것을 감안할 때, 장시간의 느린음악으로 알려진 정가를 노래했다는 것만으로도 기생의 신분은 관기출신의 기생이었거나 정가교육을 받은 권번 소속 일패기생일 것으로 보여진다.

기생은 사회적 속성으로는 예술적인 성격이 강했으나 교양과 품격까지 두루 갖추어야 최고의 기생이라 인정받았다. 오늘날의 개념으로 이해하자면, 전통음악가로서의 높은 수준을 갖춘 지식과 교양을 겸비한 연예인으로 이해할 수 있겠다. 조선후기, 궁중여악의 대상으로서 공적인 임무를 하면서도 때로는 생계를 위해 사사로운 풍류방 현장에 참여하기도 하였기에, 자연스레 기생의 풍속이 음악학적 조명은 뒤로한 채 왜곡되는 일도 많았다. 그러나 전통예악을 전승했던 대부분의 예인 기생들은 존재감과 정체성을 잃지 않으려 부단히 애를 썼다. 화려함만 좇는 기생을 지적하는『매일신보』의 당시의 신문기사 또한 볼 수 있다.[2] 외양의 화려함

독서하는 기생의 모습[3]

만 취하지 말고 사회의 풍기를 좀 생각하라"라는 자극적인 제목인데 근래의 기생의 의복을 보면 구역나는 때가 있고 밉게 보일때도 있는데 이것은 의복이 더러워서가 아니라 화려하고 찬란하게 지어 입었어도 기생 본인의 체면과 범위에 지난 것은 그대들의 근본과 지위가 어디에 있는지 살펴보라는 매우 신랄한 지적을 포함한다. 이렇듯, 궁중 임금앞에서 연행하던 관기의 모습은 어디가고, 화려한 외모만 좇는 근래 왜곡된 행태를

---

1) 스즈키 다케오, 「조선의 인식」『모던일본』 조선판 1939 완역본, 어문학사, p.225.

2) 『매일신보』, 1919. 11.14 일자

3) 김인호, 『21세기 눈으로 조선시대를 바라본다』, 경인문화사, 2009, p.35.

보이는 기생을 비판하는 기사이다.

같은 해, 12월 2일자 기사에는 "시시각각으로 늘어가는 기생, 기생다운 기예라고는 아주 없이"라는 제목으로 실려있다.[4] 근래 기생이 한갓 요릿집에나 불려다니거나 손님에게 친절히 대하며 환심사는 일에만 열중하는 모습을 비판하였는데, 원래 기생은 향응하는 목적이 아니라는 강한 어조를 보인다.

또한, 기생 '전난홍'은 타국의 사신이 왔을 때, 그 나라의 흥망을 판단하려면 기생의 언어와 복식 및 행동을 보았다는 속담을 지적하였다. 당시 일패기생들은 교양수준이 낮은 일반 기생들을 두고 안타까워 했다는 점을 알 수 있는 대목이다. 이처럼 기생 전난홍은 기생의 품격과 지식교양을 강조하였다. 전통예인 기생은 노는 것에도 품격이 있어야 한다고 생각하였다. 그것은 이들이 향유했던 문학과 언어에 잘 녹아 있다. 선비들과 풍류방에서 시문을 주고받으며 밀리지 않는 기개를 뽐내었고, 재산은 있으나 풍류와 격이 없는 양반들은 꺼리는 대담함도 보였다. 이러한 기생문화는 동양적 사고와 유교문화가 반영된 한국 기생문화만의 융합적인 성격에 부합한다고 할 수 있다.[5]

기생이라 함은, 누구나 교태를 부리고 화려한 화장과 치장을 한다고 생각할 수 있겠으나 개인적인 성향에 따라 그러하지 않은 기생도 많았다. 특히 평양기생이었던 '취란'은 기생이라면 누구나 쓰는 '화장 도구', '노리개'같은 것 하나도 곁에 두지 않으며 담담한 성품을 지닌 것으로 유명하였고 '복희'라는 기생 역시 몸가짐의 흐트러짐 없이 늘 정숙한 자세를 유지한 것으로 유명하였다.[6]

기생들은 언어적 유희와 같은 우스갯소리를 무릇, 신분이 높은 양반을 대상으로도 서슴치 않았다. 부조리한 사회를 우회적으로 비판하기도 하고 지식과 교양이 없는 양반을 상대로 그들의 모습을 풍자하기도 하였다. 단순히 말장난에 그치는 것이 아닌 사실적이고 깊은 풍자에서 나오는 글의 힘에서 기생의 수준을 볼 수 있는 대목이다. 그렇다면, 이러한 기생의 교양과 지식이 비단 개인의 수양에서 나오는 것인지, 특별한 교육을 받는 것인지 고찰해 볼 필요가 있다. 특정 권번 부속의 기생학교에서는 다음과 같은 교육 시간표를 두었다.

월	국어	서화	가곡	일본창	잡가	노래복습
화	국어	서화	가곡	일본창	예법	음악
수	작문	서화	가곡	일본창	잡가	노래복습
목	회화	서화	가곡	일본창	성악	예법
금	시독해	서화	가곡	일본창	잡가	노래복습
토	시독해	서화	가곡	회화		

평양 기생학교의 시간표 7)

『모던 일본·조선판』 쇼와昭和 14년판에는 당시 평양기생학교의 시간표를 싣고 있다. 기생의 교육과정이라 한다면 단순히 예술과목만 익힌다고 생각하기 쉬우나 그렇지 않은 과목도 여럿 있음을 볼 수 있다. 그 중 눈에 띄는 것이 '예법'과 '회화'수업이다. '걷는법'부터 '앉는법'까지 체계적으로 배우고 익히는 것이다. 조선의 기생이 보여주는 '복식, 언어, 행동'등은

4) 『매일신보』, 1919. 12. 2 일자
5) 이화형, 『민중의 꿈, 신앙과 예술』, 푸른사상. 2014. p.5.
6) 한재락(이가원,허경진 옮김), 『녹파잡기』, 김영사, 2007, p.123.
7) 김수현, 「1910~20년대 기생의 서화(서화)교육과 활동 연구:기생 합작도와 오귀숙의 글씨에 대하여」, 『동양학』 제 75권, 2019, p.80.

기생문화만의 예법을 가지고 있었으며 유교적 개념 안에서 융합적인 미의식을 추구하였다. 몸을 가꾸며 외모만 어여쁜 것이 아니라 고상한 마음과 정신을 수양하여 노는데에도 품격이 있는 것을 지향하였다.

또한 '가곡'과 '잡가'는 전통소리의 장르인데 '가곡'은 선비들이 옛시조나 가사에 음을 붙여 만든 풍류방 성악곡의 한 갈래이다. 따라서, 가곡을 잘 부르기 위해서는 운율이 있는 옛 시조를 다 이해하고 외워야 한다는 것이니 풍류방에서 양반들과 시문을 주고받고 노래로 화답하는 일이 가능한 이유가 여기에 있는 것이다. 또한 '잡가'는 가곡 등과 같은 양반향유의 성악곡에 대비되는 서민들의 노래이다. 양반들이 즐겨하는 '가곡'뿐만 아니라 대중적인 서민들의 노래인 '잡가'까지 기생들의 음악활동 영역은 매우 넓었음을 알 수 있다.

02 기생의 예절문화

권번은 관기제도 폐지 이후, 감시와 통제 속에도 활동을 영위하기 위해서는 불가피하게 소속이 되어야 하는 기생들의 유일한 활동영역이자 대리해주는 소속사와 같은 존재였다. 이 당시 권번은 표면적으로는 기생을 키워내고 관리하는 역할이 컸지만, 가난한 어린 여자아이들에게 전통예능을 전수시키고 다양한 관련 과목을 배울 수 있는 교육의 기회도 주었다.

기생들이 전통예인의 수준까지 이르기 위해서는 권번 내 수많은 경쟁과 기본교육과정을 통과해야 한다. 기본적인 가무악은 물론 예절과목이 중요한 덕목으로 다루어졌다고 알려져 있는데, 어린 여자아이들이 권번에 들어오면 가장 먼저 뛰는 것을 금하였다고 한다. 조신한 걸음걸이부터 배우며 절대 뛰지 못하게 하였으니 어린 아이들에게는 가장 참지 못할 교육과정이라 할 수 있겠다. 이러한 과정을 증명하는 군산 소화권번의 기생출신이었던 '살풀이 명인 장금도(1928~2019)[1]'의 인터뷰 기록이 있다.

1) 군산의 마지막 예기였던, 故장금도 명인은, 살풀이춤으로 군산 향토문화유산 제20호로 지정받았다. 군산에서 가장 규모가 컸던 '소화권번'에 소속된 기생출신이다. 기생에 대한 왜곡된 이미지로 인해, 긴 세월동안 본인이 기생이었던 사실을 가족에게조차 밝히기 꺼려했으나, 생전에 '전통예인 기생'의 삶과 예술, '소화권번'에 대한 많은 기록과 인터뷰를 남기셨다.

군산 소화권번 기생출신 故장금도 명인의 살풀이 춤 2)

"입학한 동기들은 먼저 걸음걸이부터 교육을 받는데, 특히 뛰어다니거나 뛰는 놀이 등은 절대 금지시켰어, 그래서 권번안에서 수업을 기다리는 동안에는 앉아서 하는 윷놀이와 공기놀이만 허용을 했어. 권번 밖에서는 주변을 살펴서 놀았는데 내가 해비상(고무줄놀이)을 잘 해. 다른 동네에서 친구들과 해비상에 끼어들게 되었는데 주변을 보니 아무도 없어서 도방역할로 잘 놀았는데 그 다음 날 누군가 권번에 장금도의 뜀질을 일러 바쳐 종아리 맞았어" 3)

이렇듯, 권번 안에서는 지켜야 할 법도가 있었다. 뜀질을 하지 못하게 하는 이유는, 이제는 더 이상 어린아이가 아닌 조성 여성으로서의 예의와 미덕을 갖추어야 한다는 교육으로 이해할 수 있다. 또한, 언행을 삼가고 늘 행동을 조심하도록 하였으며 거짓말을 금하였다. 이는 이후 기생으로서 손님을 상대할 때 대화를 하면서 과장이나 거짓으로 손님에게 오해받거나 비교하는 일을 사전에 차단하기 위함으로 보여진다. 또 하나의 이유는 공간이 작은 요릿집이나 식사공간에서 먼지가 나지 않도록 최대한 춤사위를 크지 않게 하기 위함도 있다. '살풀이 춤'을 추더라도 옷자락이 펄럭이지 않도록 최대한 섬세한 손놀림을 보여주며 절제미를 보여주었다. 이로써, 오늘날 전통무용의 한 갈래인 살풀이 춤의 전승에 기생이 전승자로서 큰 역할을 했음을 알 수 있다.

인사하는 것에도 기생의 예법이 있는데 손님에게 늘 공손하고 깍듯이 하기 위함과 권번의 격을 떨어뜨리지 않기 위하여 늘 몸가짐을 바르게 하도록 하였다. 먼저 손님을 향하여 배 앞에 늘 오른손을 두게 하였고, 왼손은 허벅지의 옆에 두게 하여 앉아서 인사를 하는 것이 원칙이다.

---

2) 한효림, 「민살풀이춤 명인 장금도 연구」, 연세대학교 박사학위 논문, 2005, p.95.

3) 신명숙, 「권번의 기예전승을 위한 기생제도와 춤교육연구: 장금도의 구술로 본 소화권번을 중심으로」, 『인문사회21』, p.783.

03 기생의 서화문화

규모가 큰 권번에서는 별도로 '기생학교'를 두었다. 기본적으로는 음악활동과 실기위주의 내용이 다수이지만, 교육과정을 보면 지식과 교양 뿐 아니라, 서예와 회화와 같은 예술적소양을 겸비할 수 있도록 다양한 과목이 설치되어 있음을 알 수 있다. 특히, 경성의 주요권번과 더불어 규모가 매우 컸던 '평양예기조합'에서는 기생학교를 두지않고, 독립적으로 교육할 수 있는 학교를 따로 두었다. 평양 소재 3곳을 통합하여 '평양음악강습소'가 설립이 되었는데, 이것은 평양예기조합이 권번으로 바뀌게 된지 오래 되지 않은 시점이었다.

평양음악강습소의 교육과목은 1. 시조時調 2. 가곡歌曲 3. 검무劍舞 4. 금琴 양금洋琴가야금 5. 한문漢文 시문時文 서書 행서行書 해서楷書 6. 도서圖書 사군자四君子 영모翎毛 산수山水 인물人物 7. 국어日語 독본讀本 회화會話 등이었다. 보통의 기생조합이나 권번이 설립한 기생학교는 일반적으로 가무歌舞, 즉 소리를 중심으로 교육하는데 반해, 경성과 평양등의 대형권번에서는 교양 수준을 중요하게 생각하였다.

평양 기생학교에서 김유탁이 서화를 교육하였고, 교재로서 『남화초단격南畫初段格』를 사용하였을 것으로 판단된다. 다음 두 번째 사진이 김유탁

평양 기생학교의 서화교육 사진 1)

으로 추정되는 이가 교재인 『남화초단격』를 앞에 두고 기생들의 사군자 그리는 모습을 바라보는 모습으로 추정된다.

일제강점기에 활동했던 권번소속의 기생들의 서화 두점인 '기생 합작도', '오귀숙의 글씨'가 발굴이 된 사례가 있는데, 이 두 작품을 통해 당시 권번의 서화교육과 기생의 서화활동이 주목받기도 하였다.[2] 문하 기생들이 남긴 합작품인 「기생합작도」는 서화교육을 마친 뒤, 그 인연을 기념하여 스승과 제자 9인이 함께 그린 것으로 알려졌다. 지금으로 보면, 졸업작품과 같은 개념이다. 그러나 기생의 업과 서화가활동은 겸하기가 쉽지는 않았다고 판단된다. 결국, 오귀숙은 서화 활동을 선택하여 일본 유학을 떠났다.[3]

1924년 6월, 조선미술전람회에서 오귀숙의 〈난초〉가 입선되었는데, 이후 입선자가 기생이었던 것으로 알려져 당시 주목을 많은 이목을 끌었던 것으로 알려져 있다. 오귀숙은 기명이 오산홍이었던 권번 기생출신이었다.[4]

1) 김수현, 앞의 논문, p.78.

2) 김수현, 앞의 논문, p.78.

3) 「南書가 그리워 東京가나 홍원양」, 『매일신보』 1927. 4. 12일자4) 김수현, 앞의 논문, p. 84.

4) 신현규, 「기생, 조선을 사로잡다」, 어문학사, 2010, p. 83.

평양 기생양성소의 서화교육 모습 5)

평양 기생양성소의 서화 배경사진 6)

平壤妓生書畫選手九人の合作

기생 <9인합작도> 7)

오귀숙은, 기생을 포기하고 전문예술인으로서의 인생을 택한 예외적인 경우라 할 수 있다. 그러나 일본 유학 이후의 작품활동이 뚜렷하지 않은 이유는 기생에 대한 편견 내지는 전통예인 출신 기생의 몰락 등의 여러 요인이 복합적으로 작용했다고 보여진다. 아무리 서화의 실력이 출중하였어도 전문 화단까지 진출한다는 것이 기생신분으로서 어려웠음을 짐작하는 대목이다. 이것이 일제강점기의 시대적 상황이었다.

권번 내 기생학교에서 서화교육을 받은 기생 중, 국내 서화가들과 계속 교류하며 작품활동을 남긴 이들도 상당한 것으로 알려져 있다. 대표적으로 1910~1920년대에 주로 활동하였던 주산월, 김월희, 림기화, 김능해 등이다. 주로 평양에서 교육을 받은 기생들이 중심이었고 특히, 김유택이 이들 기생의 교육과 여성서화가로의 배출에 큰 역할을 한 것으로 전해진다.[8)]

아쉽게도 이들에 대한 자세한 기록이나 작품이 뚜렷하게 다수 전해지지 못하고 있다. 그러나 신문기사를 통해 추측되는, 첫 번째 기생 서화가는 '주산월'로 판단된다. 『매일신보』「예단일백인」이라는 다음의 연재기사에서는 주산월을 칭하여 천재로 표현하고 있는 것이 그 증거이다.[9)]

> "기생학교에 입학하여 가무음곡을 배우는 여가에 항상 유의하는 것은 석회席畫뿐이라. 석화 중에도 매란국죽梅蘭菊竹과 노안蘆雁 등이 제일 특장이더라. 붓대를 잡고 반쯤 고개를 숙이여 힘들이지 않고 왕래하는 붓끝에는 구름이 날아오르는 듯, 삽시간에 일폭 명화를 지여내니 가위 천재라 일컬을지라."

---

5) 김수현, 앞의 논문, p. 82.
6) 김수현, 앞의 논문, p. 84.
7) 김수현, 앞의 논문, p. 83.
8) 김소연, 「한국 근대 여성의 서화교육과 작가활동 연구」, 『미술사학』 20, 『한국근현대미술사학』, 2006, p.178.
9) 『매일신보』 1914년 1월 29일.

근대 여성으로 구성된 서화교육의 시초는 '기성서화연구회'로 알려져 있다. 이 곳의 제자 중 대다수는 기생으로 추정될 정도로 초창기 서화교육에서의 기생의 비중은 컸다.[10] 그러나 여성 전문 서화가로서 기생의 입지는 오래가지 못하였다. 『조선미인보감』[11]에 수록된 여성기생 화가 중, 언론에 거론된 인물은 '신능파'가 유일하다는 점에서 이러한 사실을 뒷받침하고 있다. 신능파 역시 평양 기생출신 화가로서, 한성권번에 소속되었다.

김소영의 논문에서는 다음과 같이 정리되어 있다.[12]

교육기관	교수진	교수 과목	학제 및 기관 계요	재학생과 졸업생 규모 및 교육생
기성서화연구회 (1910~1916년경)	윤영기, 노원상, 김윤보	서, 사군자	최초의 여성을 교육한 서화교육기관	회원다수가 기생으로 추정 : 김월희, 힘인숙, 임기회 등
서화연구회 (1915~1931년 이후)	김규진, 노원상, 강신문, 유창환, 최영년, 윤기선, 이병직, 김은호	서, 사군자 및 화혜 영모,산수	여자반을 별도로 운영	1916년 회원의 1/3이 여성 주로 기생회원
창신서화연구회 (1922~1923)	이규채, 김권수	서,사군자 및 화조	여성을 주요회원으로 모집	김정수, 전효진, 정기임, 임정숙, 정연세 등
경성여자 미술학교 (1926~1934년 이후)	김의식, 정선희 이중화, 이제상 정규창,이희명 김주경	도화,자수,동양화, 서양화, 미학 등	근대 미술계 최초로 정규과정학교 여성전문학교	각과 입학 정원 50명

근대 주요 여성 서화교육기관 [13]

기성서화연구회부터 경성여자미술학교까지의 졸업생 명단을 보면, 대체로 기생출신임을 알 수 있다. 그러나 기생화가들의 퇴조 또한 뚜렷하

게 보여진다. 전문 서화활동은 점점 대중의 관심에서 멀어졌다.[14)]

이는 일제강점기, 전통적인 예능교육을 담당하던 기생학교가 가무악 뿐만 아니라 서화교육과 기생의 작품활동에 큰 역할과 관계가 있었음을 증명한다. 이렇듯, 다양한 분야에 뛰어났던 기생들이 왜곡된 이미지로 인하여 근대시기 예술계에 깊이 뿌리내리지 못하고 막을 내렸던 당시 상황을 이해해 볼 때, 일제강점기에 서화가로 활동했으나 많은 조명을 받지 못했던 기생들에 대한 연구는 여전히 필요하다고 보여진다.

10) 김소연, 앞의 논문, p.179.
11) 青柳綱太郎, 『朝鮮美人寶鑑』, 朝鮮研究會, 1918.
12) 김소연, 「한국 근대 여성의 서화교육과 작가활동 연구」, 『미술사학』 20, 2006, 194쪽에서 재인용.
13) 김수현, 앞의 논문, p.87.
14) 최열, 「망각 속의 여성: 1910년대 기생출신 여성화가」, 『한국근현대미술사학』 26, 2013. p. 89~91.

04 기생의 복식문화

1. 기생의 복식

기생은 예로부터 신분 계급으로는 천민에 속하나 양반들과 풍류방에서 많은 인기를 누리며 복식금지의 대상에서 제외되었다. 『경국대전』에는 경기京妓의 장식인 '금은주옥'은 금하지 않는다는 기록이 있듯,[1] 기생에게는 복식의 특혜가 있었다는 것을 알 수 있다. 기생의 복식특혜에 따른 자율성이 기생의 의복을 점차 화려하게 만들었고, 기생은 유행을 선도하는 계층이 되었다. 그러나 기생의 내면에는 신분상승과 명예에 대한 욕구가 항상 있었다. 이러한 욕망을 이루기 위한 수단으로도 화려한 복식은 필요했으며 뭇 남성들의 마음을 사로잡기도 하였다.

기생의 의복은 일반 부녀자와 구조는 비슷하지만 복식 착장방법이나 색, 장신구 등에서 차이가 있었다. 저고리의 색상은 초록, 분홍, 노랑 옥색, 미색에 검은 자주빛 외장을 달았고 소매의 끝에는 반가 부녀자처럼 남끝동을 매달거나 흰색의 거들지를 달기도 하였다. 저고리의 소매는 곡선이 없이 길고 홀쭉하였으며 되도록 저고리의 길이를 최대한 짧게 입어 의도적으로 겨드랑이 살이 보이고 흰 치마의 말기가 보이도록 했다. 또한 저고리와 치마사이에는 가슴 띠를 하였다.[2]

하연의 '미인상' 3)

조선시대의 미인상은 옥처럼 흰 피부와 살결, 가는 눈썹, 숱 많은 머리, 앵두입술 등으로 묘사되기도 하였다.[4] 이는 조선시대의 남성들이 선호하였던 아내 혹은 며느리상으로는 「하연의 미인상」처럼 건강한 풍채를 선호했으나 실제 미인의 이상으로 선호되었던 모습은, 「신윤복의 미인도」처럼 당시 소문난 명기들의 생김새와 흡사한 모양이었다. 『한양가』에 묘사되어 있는 기생의 모습은 다음과 같다.[5]

> 얼음같은 누른 전모 자주갑사 끈을 달고 구름같은 허튼머리 반달같은 쌍얼레로 솰솰벗겨 고이 빗겨 片月 좋게 땋아 얹고 모단 삼승 가리마를 앞을 덮어 숙여 쓰고 산호잠 밀화비녀 온비녀 금봉채를 이리꽂고 저리 꽂고 도리불수모초단을 웃저고리 지

1) 『經國大典』, 형전, 금제.
2) 유송옥, 『한국복식사』, 수학사, 1998, p.286.
3) 이민주, 앞의 논문, p. 251.
4) 전완길, 『한국화장문화사』, 열화당, 1987, p.56.
5) 김동욱, 「한양가」, 『한국고전 문학 대계』, 민중서관, 1974, p.133.

어입고 양색단 속저고리 갖은 패물 궤어 차고 남갑사 은조사며 화갑사 긴치마를 허리 졸라 동여매고 백방수주 속속곳과 수갑사 단속곳과 장원주 넓은 바지 몽고상승 겉버선과 안동 상전 수운혜를 맵시있게 신어 두고 백만 교태 다 피우고…

조선후기 여악에 있어서 반드시 필요했던 기생은 필요에 따라 지방에서도 뽑아 올리기도 하였는데 이를 '선상기'라고 불렀다. 이러한 기생들은 천민계급이면서도 능력에 따라 귀족이나 임금 앞에 설 수 있는 특혜가 있었기 때문에, 양반 부녀자처럼 비단옷과 노리개 등의 화려한 장신구를 사용했으며 사치도 허용이 되었다. 이러한 기생의 복식이 선호되면서 일반 부녀자들에게까지 그 유행이 전파되기도 하였다. 조선후기 기생이 착용한 복식구조는 당시 의복이 관습적으로 가려지는 기능으로만 인식하던 규범적 관습을 깨뜨리는 문화가 되었고[6] 이는 세속의 남성들을 유혹하였을 뿐 아니라 자신의 아내에게도 기생의 복식을 권유하기도 하는 등 그동안 고착되었던 정숙성의 범주를 벗어나게 하였다. 이러한 조선후기 기생의 여성복식구조의 사회적 현상은 일반 여성들마저 기생복식을 수용하게 만드는 모방적 성격의 전염성을 나타내었다.

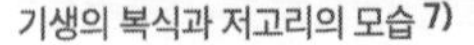

기생의 복식과 저고리의 모습 7)

1) 1910~1940년대 기생의 복식구조

복식문화는 개인의 심미적, 심리적 욕구를 충족하는 수단이자 다양한 시대적 조건의 변화를 이해하고 수용하면서 이를 반영한다.[8] 또한, 계층이나 직업, 성별, 종교등의 구분된 집단은 각자의 특유한 가치체계를 가지고 복식문화를 만들어 나간다.[9] 조선후기의 기생의 복식 구조는 '하후상박'형이다. 이는 저고리의 기장은 아주 좁고 짧게 여미고 상체를 몸에 밀착시켰으며, 치마는 여러 속옷을 겹치게 입어 하체를 풍성하게 보이게 입는 형태이다. 기생의 복식형태는 당시의 엽서를 통해 살펴볼 수 있다. 크게 세 가지의 형태를 보인다.

첫째, 긴저고리에 짧은 치마 혹은 풍성한 치마이다. 지나치게 짧았던 저고리의 기장을 내려오고 아주 좁았던 소매는 보다 실용적으로 바꾸었다.[10]

둘째, 긴 저고리와 긴 치마의 형태이다. 이러한 실루엣은 더욱 여성스러운 이미지를 돋보이게 하는 형태이다.

셋째, 치마를 입는 방식의 변화를 준 형태이다. 좁고 아주 짧은 저고리의 형태는 그대로 둔 채, 소매만 약간 넓게 변화를 준 모양이다. 여기서 두드러진 점은 치마의 입는 법인데, 치마를 완전히 몸에 밀착시켜서 몸매가 더욱 드러나게 입는 점이 특징이다. 또한 치마끝을 최대한 올려 입음으로 해서 다리도 길어보이는 효과가 있다. 이와 같이, 당시의 기생은 대중들의 선호에 맞춰 늘 새로운 형태의 복식스타일을 추구하였으며 명실상부 패션의 아이콘이었다.

---

6) 유송오, 이은영, 황선진, 『복식문화』, 교문사, 1995, p.15.
7) 이민주, 앞의 논문, p.258.
8) 조선희, 「근대 조선 기생복식 문화에 관한 연구」, 『일본근대학연구』,제75집, 2022, p.1.
9) 김경동, 『현대의 사회학』, 박영사, p.59. p.34.
10) 국립민속박물관, 『엽서속의 기생 읽기』,민속원, 2009, p.138.

'하후상박' 형태의 기생 복식 11)

긴저고리와 긴치마의 기생 복식 12)

치마를 올려 입은 기생의 복식 13)

2) 모던걸 : 활동적인 복식구조

치마와 저고리가 있는 전통 한복을 고수했던 기생들도 서양 복식의 영향을 받아 점차 실용성 있는 복식을 선호하게 되었다. 저고리에 고름이 사라지고 단추가 등장하였으며, 짧은 저고리에서 기장이 길어져 활동성을 고려하였다. 또한 여학생의 교복처럼 발목이 보이는 짧아진 통치마를 입거나 긴 저고리를 입기도 하였다. 대체로 복식은 간결해지고 활동성을 높인 대신, 소품을 이용하여 새로운 착장법을 시도한 것이 이색적이다. 예를 들어 스카프나 양산, 숄, 가방 등이 있다. 또한 실용성을 위해 보다 짧아진 헤어스타일도 달라진 점 중 하나이다.

종로권번 기생 김선부와 강향란 14)

11) 국립민속박물관, 앞의 책, p.140.
12) 국립민속박물관, 앞의 책, p.144
13) 국립민속박물관, 앞의 책, p.153.
14) 국립민속박물관, 앞의책, p.160.

장식품을 활용했던 신여성 기생 15)

서양복의 영향을 받아 한복과 양장을 입은 기생 1 16)

서양복의 영향을 받아 긴 저고리와 짧은 치마를 입은 기생(왼쪽 2장 : 17), 오른쪽 1장 : 18))

3) 사진엽서에 등장하는 기생

1900년대 들어 사진이라는 기술의 도입이 이루어지기 시작하였다. 일본인 사진사들이 경성과 평양을 중심으로 사진관을 차리면서 1920년대 일제강점기에는 특히 조선의 관기 사진을 찍기 시작하였다. 관기 기생들은 당시 영업활동을 하기 위한 모델로 아주 적합한 대상이었기 때문이다. 특히, 궁중이나 관아에 속해있던 관 기생엽서들은 선풍적인 인기를 끌었고, 오늘날 연예인 브로마이드와 같은 인기 상품이었다. 애초의 초기 기생사진은 흑백 사진으로 제작이 되었고 이후 다양한 기생 사진엽서들이 제작되었을 것으로 유추할 수 있다.[19]

흑백 기생 사진

제국주의적 시각의 기생의 사진엽서 20)

15) 국립민속박물관, 앞의책, p.163.
16) 국립민속박물관, 앞의 책, p.167.
17) 국립민속박물관, 앞의책, p.168.
18) 국립민속박물관, 앞의책, p.147.
19) 신현규, 『기생, 조선을 사로잡다』, 어문학사, 2010, p.70.
20) 신현규, 앞의 책, p.78.

그러나 위 사진에 나타난 기생의 모습에 대해서는 비판적 시각으로 냉철하게 볼 필요가 있다. 일제의 우월한 제국주의적 시각에서 보는 기생의 초창기 사진은 뒤를 보고 있다거나 거울을 통해서 얼굴을 볼 수 있는 장면이 자주 연출되고 있음을 알 수 있다. 이는 기생이 상업적인 가치로서는 가장 뛰어난 모델이지만 일제에 의해 근대적 볼거리의 대상 정도로 바라보는 이중적 잣대과 질곡을 가지고 있던 대상이었기 때문이다. 그러나 당시에도 대중에게 영향력이 있었던 기생은 다양한 모델로서 사진엽서에 등장하였고 이후 다양한 엽서를 통해 그들의 외모와 복식을 살펴볼 수 있는 오늘날 가치있는 자료가 되고 있다. 이후로도 기생의 엽서사진은 계속 제작되었고 '기생 사진', '청초 우아 조선미인집', '기생의 염자'등의 표제가 쓰여진 봉투에 세트로 이루어진 회엽서繪葉書로 만들어져 대중에게 판매하는 방식으로 널리 인기를 얻었다.

4) 광고에 등장하는 기생

대중에게 가장 파급력이 큰 매체는 신문 혹은 잡지의 광고였다. 특히, 신문광고 매체는 당시의 기생이 대중에게 끼친 영향이 어느정도였고, 어떠한 활동을 하였는지 유추할 수 있는 귀한 자료이다. 특히, 새로운 서양 및 일본문화의 유입으로 다양한 매체를 통해 기생은 대중에게 더욱 어필할 수 있었다.

1920~30년대에는 광고에 모델을 등장시켰던 시기였고 광고의 첫 모델은 역시나 당시 대중에게 가장 인기가 있었던 기생의 몫이었다. 특히, 신문광고를 통한 정보는 신문구독을 하는 고정된 수용층이 있었기 때문에 주목성이 높았을 뿐 아니라 신문을 통해 대중들은 가장 쉽게 다양한

아름다운 기생

평양 기생학교 회엽서

기생언자

기생의 염자

현대기생자

기생의 생활과 기생학교

기생팔태

조선풍속엽서

기생 사진엽서 **21)**

21) 국립민속박물관, 앞의 책, p.100~104.

정보를 얻게됨과 동시에 효율적으로 정보를 전달받을 수 있었던 유일한 매체였다.

특히, 기생이라는 광고모델은 음악인, 공연자, 연예인등 같은 개념을 모두 포함하고 있는 인기스타였기 때문에 인지도를 보았을 때 어느 누구도 따라올 이가 없을 만큼 당시 기생은 파급력은 대단하였다. 일제강점기에 이루어진 신문광고는 대체로 미용과 관련된 것이 많았다. 거의 모든 광고에는 기생이 등장하였다. 이미 시대를 앞서나가는 패션과 화려한 외모로 유행을 선도했던 계층이었기에 모든 조건을 만족시키는 대상은 기생이 유일했던 것이다.

그 중에서도, 장연홍은 최고의 광고모델이었다. 당시에도 화려한 외모로 인기가 있었던 당대 최고의 기생답게 비누나 화장품 등과 같은 미용제품에 단연 첫 번째로 꼽혔던 기생이었다. 또한 서울권번의 기생 김화중선 역시 광고모델로서 뛰어난 활약을 보였다.

1920년대~1930년대의 여성들이 사용한 미용관련 화장품은 주로 동백기름이나 연지, 백분정도가 전부였다. 이중, 머릿기름으로 주로 쓰였던 동백기름은 당시 여성들의 필수품이었고 이와 같은 미용관련 제품들의 신문광고의 모델은 어김없이 기생들의 차지였다. 기생들의 삶과 예술적 행보는 광고모델로서 어필할 수 있는 화젯거리가 되었고 미적인 면에서 월등히 시대를 앞서나갔던 기생을 따라가려던 현상을 보이기도 하였다. 마침, 당대 인기있었던 권번 소속 기생들은 시대의 흐름 속에서 양분화 되는 과정을 거치고 있었다. 전통예능을 계승하려던 집단과 대중예술분야로 진출하여 영화배우, 가수, 광고모델 등의 대중스타의 길로 진출을

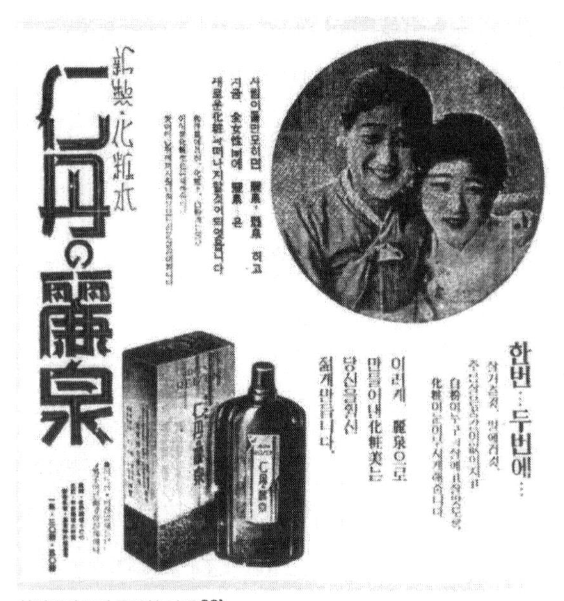

화장품광고에 등장한 기생 **22)**

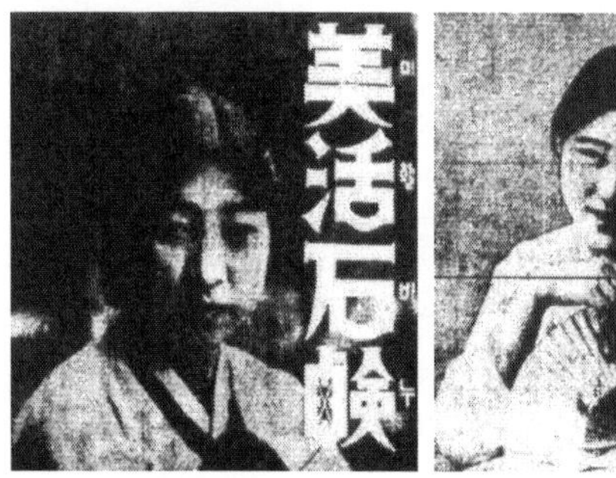

비누광고에 등장한 기생 **23)**

22) 화장품 '인단의 여천' 광고

23) 신현규, 앞의 책, p.183.

하려는 집단. 이렇게 둘로 나뉘는 시점이었다.

대중분야의 연예인으로 진출한 기생들을 살펴보면, 다양한 매체에서 활약하면서 서양식 복식으로 변용되었을 것 같으나, 사진엽서나 당시의 광고사진을 살펴보면 아이러니하게도 당시 기생의 복장은 전통 한복이었고 머리의 모양은 쪽진 가르마를 탄 묶음머리를 한 전통 기생의 복색으로 등장하였다는 점을 볼 수 있다. 이 점이 주목할 만하다.

다만, 당시의 미용상품의 기술력이나 품질이 형편없었음에도 대중들이 이질감없이 받아들일 수 있었던 이유는, 기생들을 통한 광고 효과를 빌어 생겨난 파급력이라고 볼 수 있는 대목이다. 이렇듯, 당시 최고의 예술인이자 연예인이었던 기생들은 당대 최고의 모델로서 대중의 관심을 받았고 유행을 선도했던 계층으로서 최고의 스타로 자리잡았다.

2. 기생의 머리양식

머리양식에 대한 연구는 복식과 더불어 당시의 생활상 및 미의식과 밀접한 관계가 있다. 기생은 당시 유행을 선도했던 계층으로서 특히, 그 중심에는 그들의 화려한 복식과 머리 양식이 있었다. 조선후기, 여악과 관기제도의 폐지, 기생조합과 권번에 이르기까지 소속 기생들은 그들의 주체적 자기정체성을 가지면서 적극적인 사회활동을 하였고 때로는 사회를 향한 저항의 표현으로 그들의 복식과 머리양식에 변화를 주기도 하였다.[24] 개화기 이후, 머리양식 또한 새로운 변화를 맞이하게 되었는데 특히 서구의 일본식 문화접촉과 일본스타일의 영향으로 인하여 의복과 머리양식에 큰 변화를 주었다. 특히, 일제강점기는 척박하고 어두웠던 문화 암흑기임에도 불구하고 기생들의 머리 양식은 계속 변화하고 있었다.

1910년대에는 일명, 퐘프도어형[25]의 머리양식이 유행하였다. 보브 스타일(단발머리)가 유행하였는데, 이는 서양의 문물이 들어오면서부터로 간주된다.

1920년대에는 트레머리형[26]이나 보브형 머리양식이 유행하였다. 일명 단발머리 스타일이다.

1930년대에도 역시 보브형 단발머리의 유행이 지속되다가 퍼머가 유행하기 시작하였고 1940년대에까지 이어졌다. 그러나 일제강점기에는 이후, 퍼머금지령이 내려지기도 하여 오랜시간 유지할 수는 없었다. 이렇듯, 1910년대에는 관기출신의 기생들이 뿌리내린 전통적인 머리양식을 고수하다가 시간이 흐르며, 점차 눈에 띄는 개성있는 모양으로 조금씩 변화하다가 일제강점기 중 · 후반으로 갈수록 전통 머리모양은 사라지도 서구화 또는 실용적인 모습으로 변화되어 갔다. 물론 일반 여성들은 여전히 댕기머리나 쪽져서 얹은 머리가 강세였다.[27]

이것은 당시 기생들의 머리양식이 단순히 그들의 개성이나 화려한 외모만을 추구하는 것이 아닌, 당시 시대를 풍미했던 그들의 문화예술적 삶과 사회적 배경이 어우러져 또 하나의 문화양식이 되어간다는 것을 의미한다.

---

24) 김은정, 「근대적 표상으로서의 여성패션 연구:모던걸(개화기~1945)을 중심으로,『아시아여성연구』 제43집, p.340.

25) 당시 히사시가미 양식으로 불리었으며, 쟁머리 혹은 퐁파두르형이라고도 하였다. 일몇 귀밑머리를 뜷고 머리를 치켜올린 스타일.

26) 옆으로 가르마를 타서 갈라 빗어 머리 뒤에 틀어붙인 스타일.

27) 이영아, 「일제 강점기 우리나라 여성의머리모양 변화과정에 대한 연구」, 『동양예술』, 제19호, 2012, p. 106.

전통적인 기생의 머리양식 1 28)

전통적인 기생의 머리양식 2 29)

기생학교에서 양성되는 어린 기생들은 시기를 불문하고 모두 쪽진 '댕기머리'를 고수하였다. 이후, 실력을 쌓아 정식기생으로 활동을 하게 될 무렵부터 당시 유행하던 '모던 걸'머리모양을 내세워 주도적인 문화활동을 하게 되었다. 기존의 '댕기머리'와 더불어 '쪽머리로 얹은 머리'는 가장 전통적인 기생의 머리양식이었고 이후 한복과 어울리는 전통 머리양식에서 점차 실용적이고 과도기적인 머리 양식으로 그 양상이 변화하였

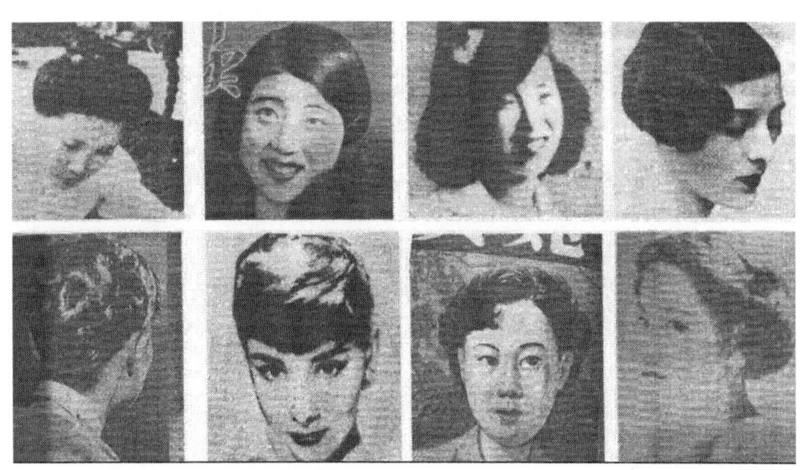
1910년대 이후 당시 유행하던 머리 양식 30)

다. 또한 단발머리와 퍼머넌트 웨이브를 통해 복식에 구애받지 않는 서양식 머리양식으로 서서히 전환하기 시작한다.

기생은, 오늘날의 인기있는 연예인이었다. 유행을 선도하였으며 복식과 더불어 그녀들의 머리양식은 대중들이 가장 따라하고 싶어했던 양식이자 인기 있는 신 여성의 척도였다.

28) 정수향 · 박정아, 「개화기 이후 신여성의 머리모양의 대한 고찰-영화 해어화를 중심으로」, 『한국뷰티경영학회지』, 제10권 제1호, p.63.
29) 정수향 · 박정아, 앞의 논문, p.61.
30) 정수향 · 박정아, 앞의 논문, p.62.

제 3 부

전통예인 기생의 음악 이야기

01 / 전통음악분야의 음악활동

1. 판소리와 창극

1) 판소리

판소리는 본래 남성 창자들의 전유물이었다. 근대 초기만 하더라도 판소리계를 주도한 이들은 광대(창우집단)들이나 남성 창자였던 것이다. 이미 소리로 일가를 이룬 판소리명창 집안의 출신들이 독점을 하고 있었고 판소리라는 독특한 소리의 질감 역시 그들만의 가계도에서만 가능한 일이라는 깰수 없는 벽과 같았다. 애초부터 관기는 잡가나 판소리는 배워서 안 되는 것이었다. 그들의 주 종목은 궁중무용과 가곡과 같은 종목이었다. 이러한 탓에 권번의 여성 기생들 역시 이후에도 판소리 종목은 해서는 안되는 존재들이었다.

극장이 생겨난 이후, 극장에서도 판소리공연을 위해서는 남성명창들에 의지할 수밖에 없었다. 그들이 독점하고 있던 판소리 문화를 하루아침에 바꿀 수는 없었을 듯하다. 그러나 극장 측에서도 대중에게 이미 상당한 파급력을 지니고 있던 공연집단인 기생을 쉽게 무시할 수는 없었다. 이미 전통소리와 궁중악무를 포함한 기악과 무용 등에 상당한 실력을 가지고 있던 기생들이 대중예술인으로서도 자리를 잡았고 대중을 향한 흡인력 또한 갖추고 있었기 때문이다.[1] 그러나 근대초 전통공연문화에도 조금씩 보수적이고 폐쇄적인 향유층의 벽이 허물어졌다. 공연물에 민속음악의 양식이 하나 둘 씩 포함되기 시작하였고 판소리도 이러한 과정 중에 점차 편입되었을 것이라 사료된다. 이러한 가운데 판소리명창과 기생의 만남이 이루어졌으리라 추측할 수 있는 대목이다.

1920년대 들어서 공연문화계에도 새로운 물결이 일었다. 최초의 여성 판소리명창으로 알려져 있는 진채선의 등장이다.[2] 기존의 판소리계에서는 그녀의 등장 자체가 파격이었다. 19세기까지의 판소리는 남성이 여성 역할을 담당하는 1인극이였다면, 20세기에 들어서 여성도 남성의 역할을 할 수 있게 된 것이다. 불과 반 세기도 안되어 판소리의 남성독점의 지형이 바뀌게 되는 순간이 도래한 것이다. 판소리계에 기생이 등장한 이후 1920년대 후반에 들어서, 전통예인 기생의 공연양상 역시 변화하였다. 전통음악분야에서 서울출신의 기생들은, 타 지역의 기생들과 구별되는 특별한 양식을 갖고 있지 못했다. 당시의 활동양상은 소리분야에서 서도지역의 기생과 남도지역의 기생으로 주로 음악활동이 양분되었기 때문이다. 그렇기에, 그 동안의 공연양상의 변화 역시 서도와 남도기생의 경우로 나뉘었다.[3]

1925년 남녀명창대회가 시작되면서 극장의 공연양식도 이 즈음부터 대체로 명인명창대회로 이어졌다. 이 공연에서는 젊은기생이 등장했기에, 이를 계기로 기생의 음악활동은 그 역할이 증가하였다. 예를 들어,

1) 정충권, 「근대초 기생들의 창극 공연 양상과 의의」, 『판소리연구』 제 54집, p.188.

2) 정노식, 『교주 조선창극사』, 태학사, 2015, p.268.

3) 『每日申報』, 1925. 9.15.

기생출신 판소리 여류명창 이화중선과 박녹주 4)

1927년 우미관에서 열렸던 조선가무대회에 출연했던 명창 중 대부분은 모두 기생이었다.[5] 당시 참여했던 여류명창 가운데 김해선은 극장설립 초기 당시부터 이미 명성이 있던 기생이었고, 박녹주, 이화중선, 김추월 등도 이미 실력이 인정되던 판소리 실력자들이었다. 이렇듯, 기생의 역할이 중요했던 명창대회는 해가 거듭될수록 기생들의 참여가 높아짐과 동시에 음악적 역량도 점차 인정을 받게 되었다. 특히, 1993년에는 여성명창들로만 꾸려지는 무대도 구성되었다. 조선음률협회가 주관하는 대회였는데, 이 대회에 박녹주, 박월정, 김초향 이렇게 세 명의 기생이 출연하게 되었다. 당시 기생들은 실력자들에게만 붙게되는'여류'라는 수식어를 받게 될 정도로 그 실력을 인정받았다.

이처럼 1930년대부터 기생들은 독립적인 음악가로서의 활동을 하게 되었으며 일부는 명창 경지의 길로 들어선다. 이를 계기로, 이화중선, 박녹주와 같은 일부 기생들은 권번으로부터 나와 독립적인 음악생활을 하게 되었다. 기생들이 권번으로부터 독립하여 독자적으로 음악활동을 할 수 있게 된 이유는, 이미 기량면에서 여류명창으로서 손색이 없는 인기 반열에 올랐고 이미 명창이 된 소리꾼들과 같이 활동할 만큼의 실력도 갖추었기 때문이다. 더불어 당시 명창들의 세대교체에 맞물려 신흥 소리꾼인 기생의 등장은, 사람들의 관심을 끌기에 좋은 구실이기도 하였거니와 당시 극장계와 공연음악계에서 이들의 수용에 적극적이었던 문화도 있었기에 가능했던 일이다.

2) 창극

실내극장 무대에 전통공연물이 오르게 되면서 또 하나의 변용양상은 '보여주기식'의 공연물을 지향하게 되었다는 점이다. 관객들과 대중들에게 보다 시각적인 감각을 호소하는 개념이다. 때문에, 기생들의 무용공연은 특히 인기가 많았는데, 판소리계에도 그 영향이 적지 않았다. 기존의 소리꾼(광대)뿐만 아니라, 기생출신 소리꾼들은 또 다른 보여주기 차원의 소리극을 고민하는 시점이 도래한 것이다.

이미 기생은 당시 극장에서 가장 영향력 있고 비중있는 공연집단이었기에 이들을 향한 기대와 향유적 볼거리에 대한 기대를 날로 커져갔다. 이미 기악연주나 가곡과 시조와 같은 전통 성악곡은 인기가 시들해졌고 레퍼토리 역시 다양하지 않았기 때문에 대중에게 큰 호응을 얻을 수 있는 분야는 기생들의 화려한 공연이었다. 그렇다고 해서, 무동이나 땅재주 혹은 줄타기 등의 연희공연을 펼치는 창우집단과 동행하는 것은 완전히 다른 차원이었기에 극장 내 전통공연물로서 가장 인기가 많았던 장르인

4) 한명희 · 송혜진 · 윤중강, 『한국문화예술총서4 우리국악 100년』, 현암사, 2001, p.65.
5) 김성혜, 「『조선일보』의 國樂記事:1920-1940(1)」, 『한국음악사연구』, 1994, 제12집, p.253.

판소리계는 새로운 창작공연물에 정성을 쏟아야 하는 시점이었다.

이러한 관점에서 판소리계에도 동력이 가해졌다. 바로 입체창에서 비롯한 창극이다. 화려한 볼거리는 아니더라도 기존 판소리와는 다른 특별한 볼거리를 제공해야 했고, 도막소리로 며칠간 이어졌던 기존 판소리공연문화 자체를 변화시킬 필요가 있었던 것이다. 판소리 자체가 이미 서사문학에서 나왔기에 공연물로도 이미 유리한 점이 많았던 것이 그 이유이다.[6] 극장 초기창극형태는 무대장치를 통한 '보여주기식 형태'와 '소리를 중심으로 한 형태' 두가지 모두 병행했을 것으로 사료된다. 극장의 창극공연을 통해 여러 양식으로 분화되면서 기존의 소리꾼과 기생출신의 소리꾼의 대사(아니리)와 동작(발림)도 차차 추가되었을 것이다.

2. 악기

오늘날, 국악분야에 있어 여성 음악가의 활동 배경을 논할 때 일제강점기에 활동했던 기생들의 음악 · 예술적 역할을 지나칠 수 없다. 처음 여류명창이 등장했을 때에도 그들을 가리켜 기생출신 예술가에 대한 논란이 있었다. 그러나 당시 창악계에 나서기 위해서는 반드시 권번을 통하지 않고는 쉽지 않았던 당시의 상황을 감안한다면 이해 할 수 있는 부분이다.

권번에서는, 기생이 되기 위해 들어오는 여자아이의 신체를 보았다. 어떠한 악기를 하는 것이 좋을지 선별하기 위해서이다. 기운이 있을 것 같은 빼대가 굵은 사람은 거문고를, 가냘픈 이는 양금을 추천하였다. 가야금은 누구나 배울 수 있었다. 이처럼 권번 기생들은 이러한 선별과정을 통하여, 악기를 추천받고 익히기 시작하였는데 배움의 과정 중, 각종 공연을 통해 실력을 겨루기도 하고 대중에게 다가가기도 하였다.

기생들의 공연 중 가장 비중이 있었던 연주회가 바로 '기생조합연주회'이다. 기생조합연주회는 권번시기에는 '온습회'라는 이름으로 명칭이 바뀌어도 계속 유지되었다.

온습회는 기생들이 권번에서 갈고닦은 실력을 선보이는 자리이기도 하였지만 일종의 발표회이자 경연대회의 성격이었다. 실력과 외모를 겸비한 기생은 수 배의 개런티를 받고 개인의 이익이 생겼으니 온습회 무대에 서는 일은 단순히 본인의 실력을 선보이고 마는 자리가 아닌, 때에 따라 명예와 부를 가져다 줄 수 있는 기회의 무대였다.

일제강점기 엽서 中 경성권번 기생의 악기사진

양금을 연주하는 기생

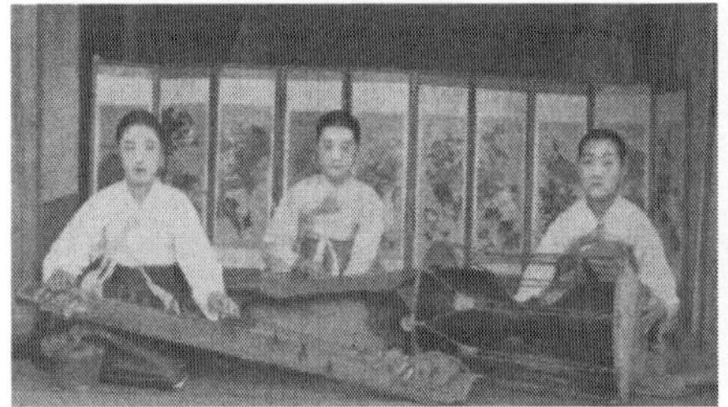
가야금, 양금, 장구를 연주하는 기생

공연장에서 악기연주를 하는 권번기생

6) 정춘권, 「20세기초 극장무대 전통공연물의 향유방식」, 『고전문학과 교육』 38, 2018. p.123.

기생 김운월의 가야금 연주모습

거문고를 연주하는 기생의 모습

평양기생학교에서 샤미센 연주를 하는 기생의 모습

샤미센은 일본인이 가장 애호하는 악기이자, 일본의 전통 악기로 우리의 전통악기인 '해금'과 비슷한 악기이다. 일제 강점기 권번의 기생들은 일본의 '샤미센'과 같은 악기 또한 연주할 수 있어야 했다. 요릿집이나 극장 손님 중, 일본 현지인과 친일파 등은 권번 기생이 일본 악기를 연주하길 원했기 때문으로 판단된다.

1910년대에, 이미 권번 기생 중 샤미센을 연주하는 기생이 있었다. 점점 일본인 손님이 많아지면 권번은 일본 문화와 음악에도 능할 수 있는 기생을 선호하게 되었다.

3. 춤

기생의 춤은 오늘날에도 여전히 공연예술이라는 개념보다는 남성을 유혹하는 개념으로 오해받기도 한다. 기생의 춤이기에 그러할 것이다. 그러나 기생의 춤은 궁중무용과 연결되기 때문에 단순히 볼 차원의 개념을 넘어선다. 일제강점기 당시, 궁중무용과 민속무용을 모두 섭렵했던 계층은 기생이 유일하기 때문에 이러한 오해는 억울할 일이다. 또한, 일제강점기 펼쳐진 전통 공연 중 춤과 관련한 계승자는 아이러니하게도 권번 기생이 유일하다. 이것은 즉, 당시 권번의 전통예인 기생이 없었다면 오늘날의 춤 문화는 일부 단절되었을지도 모른다는 의미로 해석할 수 있다.

궁중 관기제도가 폐지되면서 수 많은 관기들이 요릿집으로 이동하면서 일제강점기에는 궁중무용을 요릿집에서나 볼 수 있었다. 이후, 서양식 문화와 들어오게 되면서 근대 춤 또한 많은 변용이 있었고 그 중심에는 극장이 있었다. 극장이 생겨나기 전 전통 춤 공연은 일정한 장소 가운데 제한된 대중을 대상으로 간헐적으로 공연되었다. 그러나 극장이 생겨난 이후, 전통 춤 공연은 대중에게 점차 일반화되었으며 간헐적 공연이 아닌 연속적이고 정기적으로 연행되었다.[7] 애초에 권번 기생의 춤은 승무와 검무 이렇게 두 가지로 볼 수 있다. 권번에서는 춤의 기본 개념을 어린 기생들에게 교육하였다. 승무와 검무가 그것이다. 발을 떼는 간단한 동작부터 손 사위 정도의 기초 동작만 익히는데에도 수십일이 걸렸다고 하니, 무용을 익히는 것은 실로 어려운 일이었다.[8]

---

7) 오정임,「20세기 초 극장설립에 따른 기생 공연양상의 변화 연구」, 경상대학교 민속무용학과 석사학위논문, 2007, p.52.

8) 권도희.「20세기초 음악 집단의 재편」,『동양음악』, 제20집, 1989, p.58.

승무는 불교색채가 강한 무용으로, 민속무용 중 예술성이 가장 높다는 평가를 받았다. 승무의 복장은 남색치마와 하얀 저고리와 장삼을 걸치고 머리에는 고깔, 어깨에는 붉은 가사, 양손에는 북채를 든다. 머리에 고깔을 쓰는 것은 승무 본연의 예술적 세계에 빠져 내면의 멋을 내기 위함이었다. 승무의 예술적인 정절은 정면을 등지고서 양팔을 무겁게 들어올릴 때 생가는 능선과 긴 장삼을 뿌리치는 춤사위, 하늘을 향해 뿌리는 장삼 자락이다.

대개 승무의 춤이 끝나면 검무로 이어진다. 전립과 전복, 전대의 의상을 입은 여러명의 기생들이 양손에 칼을 들고 추는 춤이다. 민간에서 가면무로 하던 것을 궁중정재로 채택해 오늘까지 전승되는 춤이다.

❶ 승무를 추는 기생의 모습
❷ 춘앵전 춤사위를 보이는 기생
❸ 검무를 추는 2인의 기생
❹ 검무를 추는 4인의 기생

4. 정가, 민요, 잡가

1877년, 에디슨이 유성기를 발명한 이래로 우리나라에도 유성기의 첫 상업음반이 발매된 것으로 알려진 시기는 1907년이다. 당시 처음 실린 노래는 대체로 민요나 잡가 등과 같은 전통음악이었다. 이러한 장르의 노래가 실린 이유로, 당시 대중들에게 잡가의 인기가 상당했다는 것을 알 수 있다.

아직 유성기 음반이 보편화되지 못했던 1910년대에는 주로 공연과 가사집 등으로만 유통이 되었는데, 이 때에도 주된 곡목은 주로 잡가와 민요였다. 이러한 경향은 이후에도 유성기음반의 수록목록에도 그대로 이어진다. 정재호의 『한국속가전집』[9] 6권은 당시의 26권의 노래책을 영인하여 수록하였는데 이 중, 『조선고전가사집』과 『대중보무쌍유행신구잡가부가곡선』을 제외한다면 모두 일제강점기에 출시되었던 것으로 알려져 있다. 노래책을 통한 당시의 전통가요의 발매는 1910~1920년대에 가장 집중되었다. 1930년대에 들어서면서 노래책이 발매된 것은 한권에 그치고 있어 1930년대부터는 전통가요의 확장이 노래책이 아닌 유성기 음반에 의한 것임을 알 수 있다.[10]

유성기 음반이 보편화되는 시점에 노래를 불렀던 이들은 주로 기생이나 광대들이었다.[11] 1910년 이후 유성기 음반이 발매된 이후 노래를 듣는 수용층들은 단순히 노래를 듣는것에만 그치는 것이 아닌 수록된 노래책을 소장하는 등의 적극적인 태도를 보이기도 하였다.

9) 정재호, 『한국속가전집』, 다운샘 ,2002.

10) 정재호, 앞의 책, p.18~19.

11) 장유정, 『근대 대중가요의 지속과 변모』, 소명출판, 2012, p.281.

이러한 현상은 1930년대부터 달라지게 되었다. 유성기의 '황금시대'라고 불리는 이 시기는, 노래책에서 유성으로 매체가 전환되는 엄청난 파장을 불러 일으켰다. 전에는 없었던 기계음의 소리는 매력적인 근대의 소리로 대중에게 점차 다가가게 되었다. 유성기를 통해 대중에게 노래가 익숙해지면서 대중은 전통가요와 대중가요 혹은 서양고전음악에 대한 호불호가 생기기 시작하였다. 장르별 수용층에 따른 계층화도 생기게 되었다. 유성기 매체가 중요한 전환기가 되는 이유는, 일제강점기 당시의 문화대중화를 이루어 냈기 때문이다. 즉, 1930년대는 대중가요의 본격적인 유입의 시기로 전통음악과 전통가요는 점차 쇠퇴하는 시기이기도 하였다. 그렇다고 하여, 전통가요가 바로 없어지는 국면은 아니었고 공존하는 형태로 각자의 음악세계를 이루며 수 많은 혼종속에서도 전통음악의 소리분야는 실험적인 무대를 만들기도 하였다. 이러한 작업의 시간을 거쳐서 많은 전통가요들은 서서히 대중에게 잊혀지기도 하였다.

당시 유성기 음반에 수록된 민요, 잡가등의 전통 성악 장르들은 어떠한 양상을 띄고 있었는지 고찰하기 위해서는 1945년 이전에 발매되었던 유성기음반의 목록을 살펴 볼 필요가 있다. 『한국유성기음반총목록』[12] 과 『유성기음반총람자료집』[13] 두 가지가 전해지고 있는데, 이 중 『유성기음반총람자료집』의 갈래별 음반 수를 살펴보면 다음과 같다.

갈래	콜롬비아	빅타	오케	포리돌	태평	시에론	합계
유행가	714	480	905	387	358	110	2,954
신민요	121	102	94	127	86	14	544
재즈송	31	25	29	19	4	3	111
민요	51	23	29	0	11	1	115
잡가	297	105	146	84	45	48	725
판소리	231	166	139	24	32	70	664
속요	62	134	90	59	41	49	435
단가	70	63	43	19	18	26	239
가야금병창	63	3	46	16	12	9	149
시조	19	5	10	0	6	4	20
가사	14	2	2	2	0	0	20
합계	1,673	1,108	1,533	737	615	334	6,000

6대 음반회사의 종류별 음반수 14)

전통가요의 음반수는 2,276곡이다. 이 중에서 발매수의 순위를 중심으로 나열하면, 잡가, 판소리, 민요, 단가의 순이다. 유성기 음반 역시 판소리를 제외하고는 잡가와 민요가 상당한 인기를 얻었음을 알 수 있는 대목이다. 또한, 정재호는 「잡가고」에서, 노래책에 수록된 작품의 수를 제시하였는데 10회 이상 수록된 노래와 제목 수는 다음과 같다.

12) 한국정신문화연구원, 『한국유성기음반총목록』, 민속원, 1998.
13) 김점도, 『유성기음반총람자료집』, 신나라레코드, 2000.
14) 한영숙, 「일제 강점기 예인들의 사회적 역할과 연주활동」, 『국악교육연구』, 창간호, 2007, p.171.

번호	제목	노래책 수록된 수	유성기음반에 수록된 수
1	새타령	15	66
2	육자배기	15	56
3	적벽가	15	35
4	토끼화상	15	60
5	배따라기	14	41
6	영변가	14	39
7	제비가	13	40
8	추풍감별곡	13	17
9	방아타령	12	167
10	성주풀이	12	28
11	소상팔경	12	67
12	수심가	12	173
13	초한가	12	43
14	춘면곡	12	6
15	소춘향가	11	4
16	난봉가	11	185
17	산염불	11	44
18	상사별곡	11	5
19	양산도	11	107
20	유산가	11	27
21	자진난봉기	11	50
22	곰보타령	10	10
23	농부가	10	70
24	앞산타령	10	27
25	자진산타령	10	4
26	회심곡	10	36
27	흥타령	10	98

노래책에 수록된 곡 수와 음반에 수록된 곡 수 15)

노래책에 10회 이상 수록이 되었다는 것은 그만큼 인기 높았음을 말해준다. 노래책에 자주 실린곡이 유성기음반에도 다수 실렸다는 것을 알 수 있다. 다만, 춘면곡, 상사별곡, 소춘향가, 자진산타령 등은 수록된 수가 줄어들었다는 것을 알 수 있는데 이유로는 대중에게 가사의 인기가 점차 떨어졌음을 알 수 있는 대목이다. 또한, 〈양산도〉와 〈방아타령〉은 경기민요에, 〈난봉가〉는 경기민요 혹은 황해도민요, 〈수심가〉는 평안도민요로 속하는데 즉, 당시 경서도 민요의 인기가 상당했다는 것을 알 수 있다. 추측하기로는, 당시 유성기음반의 시장이 주로 서울이었기 때문에 주 고객층 역시 서울에 거주하는 사람들로 이들이 주 수용층이었기 때문으로 본다.

민요나 잡가 이외에도 양반들이 풍류방에서 주로 불렀던 성악곡인 가곡, 가사, 시조와 같은 정가곡목 또한 수록되어 있다. 『한국유성기음반총목록』의 자료를 토대로 당시 기생들의 음악적 활동과 연주장르 및 곡목을 알 수 있다. 이 자료는 1920년부터 1943년까지의 유성기음반의 목록이 나와있다. 전통적인 성악과 기악은 물론, 양악과 일본의 창가 및 유행가에 이르기까지 음악과 활동했던 연주자를 상세히 소개하고 있다. 기록된 자료가 워낙 방대하기 때문에 기록전체를 고찰하는 것이 아니라 여류명창이었던 기생의 자료를 근거로 정리하였고, 다음과 같은 사항을 유의하였다.

첫째, 연주자에 대한 기록이 명확한 것만 명기한다. 둘째, 초판과 재판이 있을 경우, 초판을 기준으로 표기한다. 셋째, 음반발매사는 약어로 표기한다. 넷째, 곡명은 표기한 원곡명 그대로 표기한다. 다섯째, 음반번호가 불명확한 것은 따로 기호로 별칭한다.

15) 한영숙, 앞의 논문, p.173.

일제 강점기에 발행되었던 다양한 매체 중, 유성기음반과 관련한 기사가 가장 많다. 특히 이 곳에 명기된 음반기사는 당시 각 음반별 연주자와 음악이 등장했던 시기를 알 수 있는 정보를 제공하기에 당시 기생의 음악활동의 역사적 단서가 될 수 있는 중요한 사료이다. 하규일이 설립한 조선권번에서는 가곡, 가사, 시조등의 정가와 남도소리, 서도소리, 잡가등을 가르쳤다. 자세히 보면 조선권번 전통예인 중에서는 주영화가 경성잡가, 가곡은 하규일, 한성권번에서는 주영화가 경성잡가, 유개동이 서도잡가, 종로권번은 오영근이 경성잡가, 가곡은 황종순, 서도잡가는 김일순이 교육한 것으로 알려져있다.

연주자	곡목	음반사	관련기사
현매홍	(여창) 界樂·(여창) 編 界面·弄 *頭果 上·半菜 下	제비	매1925.9.14 선1927.1.16 매1926.2.6
최섬홍	노릐 編(모란은화중왕이요) 노릐 모시編(한송명솔을베여)	일축	매1925.8.26(선1925.8.27) (조1928.9)
김소용	노래 花編	콜럼	동1931.3.21
이난향	노래 자진한닙 弄 노래, 羽樂 노래 환계락	콜럼	동1931.6.20 동1931.12.15
서산호주	노래 계락·노래 화편	포리돌	동1932.9.14(보1935(8월))

기생의 유성기음반 연주목록- 가곡(여창1)[16]

연주자	곡목	음반사	관련기사
조목단·김연옥	노릐 羽樂 노릐 弄·노릐 界面 노릐 羽樂 노릐 花編	일축 NIP	음1921.5(조1928.9) 조1928.9 조1928.9 매1913.6.3(음1921.5)
귀섬홍·이기원	노릐 화편(오날도저무러지니)	일축	조1928.9
고연옥·곽정옥	노래 우락(上)·노래 우락(下) 노래 환계락·노래 편수대엽	빅타	총1935.2

기생의 유성기음반 연주목록- 가곡(여창2)[17]

유성기음반에서 가곡은 여창과 남창이 따로 존재하였는데, 다양한 곡목보다는 일부 악곡에 한정하여 불려졌다. 옛 풍류방에서는 본래 남창가곡만 있었다. 특히 기생들이 풍류방에서 선비들과 시문과 음악을 나누며 고급 문화를 향유하였는데 기생에게는 남창만 있었던 당시 양반 음악문화에서도 예외적으로 허가가 되는 계층이었다. 이후, 여창이 생겨났고 기생들이 여창가곡을 많이 노래한 것으로 알려져 있다.

연주자	곡명	음반사	관련기사
최섬홍	시조	제비	매1927.11.6
바월정	詩調(평)(사설)上下 • 시조(上)여창지름 시조(下)남창지름 시조 평조 • 시조 여창지름 시조 사설시조 • 시조 남창지름 시조(上)평 • 시조(下)남창질음 시조 평시조 • 시조 남창지름	제비	매1926.2.6 선1927.7.14 동1931.2.22 동1931.10.10 총1935.2 보1937(11월)
김연옥	시조 평조	콜럼	보1936(11월)
조목단	시조 남창지름	콜럼	보1936(11월)
김인숙	시조 평조	조신	동1932.7.21
김옥희	시조 남창지름 시조 평조 • 시조 사설시조	Col	보1940(3월) 보1940(6월)
이영산홍	시조 평조 • 사조 여창지름 시조 평조 • 시조 남창지름	시특 태평	1935.8~10 보1943.3 (태평레코드5)
유농주	시조 평조 • 시조 추심	태평	

기생의 유성기음반 연주목록- 시조(여창1)[18]

16) 한영숙, 앞의 논문, p.172.
17) 한영숙, 앞의 논문, p.173.
18) 한영숙, 앞의 논문, p.173.

연주자	곡명	음반사	관련기사
조목단·김연옥	시됴 시조 平調(일각이삼추) 시조 여창질옴	닛앳 콜럼 빅타	한1921.5 동1952.7.16 총1955.2
아유색·유운선	평시조 일각이삼추라니·雪月이滿乾坤 여창상성계평조녀창지름 저건너일편석 여창상성계평조녀창지름 기럭이산이로	일축	조1928.9
벽모단·장금화	평시됴 사람이사람그려	일축	조1928.9
이유색·유운선 박채선	평시조 일각이여삼추라니 여창지름 기럭이산이로잡아 여창상성계평조사셜지름 푸른산중 여창상성계평조사셜지름 窓내고자	일축	조1928.9

기생의 유성기음반 연주목록- 시조(여창2)[19]

기생들 사이에서 가장 많이 불린 노래는 시조였다. 평시조와 사설시조 등이 주류를 이루었는데, 이는 명창들과 기생들의 노래곡목이 별도로 구분되지 않았다. 특히, 박월정이 기생중에서 시조창이 가장 능한 것으로 알려져있다.[20]

또한 전통가요 중, 가사는 기생들에게서만 향유되었던 노래였다. 현매홍과 최섬홍은 혼자서 부르거나 김연옥과 조목단이 호흡을 맞추어 둘이서 부르는 형태로 불렀는데, 유성기음반에서 가장 많이 가사를 취입했던 대표적인 기생들이었다.

연주자	곡명	음반사	관련기사
최섬홍	춘면곡·상사별곡·길군악 권주가 가사 길군악(上)·가사 길군악(下)	일축 제비 빅타	조1928.9 매1927.11.6.(선1927.11.7) 총1935.2.(보1939.5(5월))
현매홍	춘면(二枚三四 길군악(一二三四》 *죽지사	제비	매1925.9.14. 매1925.9.14.(선1926.7.21) 매 1926.2.6.
이영산홍	죽지사 권주가	콜럼 태평	동1929.7.17.(선1929.7.20.)
이난향	상사별곡·백구사	콜럼	동1931.2.22.
김소용	황계사	콜럼	동1931.3.21.
김민숙	수양개(上)·수양가(下) 권주가	콜럼 조션	동1931.4.23. 동1932.7.21.(8.7)
서산호주	춘면곡(上)·춘면곡(下)	포리돌	동1932.9.14.(보1934(9월))

기생의 유성기음반 연주목록- 가사(여창1) 21)

연주자	곡명	음반사	관련기사
조육단·김연옥	황계사 죽지사 황계악 홍취권주가·권주가 가사 춘면곡(一二三四五) 권주가	NIP 일축 닛앳 콜럼 빅타	매1913.6.3(음1921.5) 음1921.5(조1928.9) 조1928.9 음1921.5(조1928.9) 동1932.7.16 총1935.2
최싱휴·이초선	춘면곡·상상별곡	일축	
박소용·홍소월	죽지사 수양가(上下)	오케이	보1937.3(4월) 동1933.12.22.(보1937(4월))

기생의 유성기음반 연주목록- 가사(여창2) 22)

19) 한영숙, 앞의 논문, p.174.
20) 한영숙, 앞의 논문, p.172.
21) 한영숙, 앞의 논문, p.175.
22) 한영숙, 앞의 논문, p.175.

김옥심의 소리 음반 23)

위 사진은 서도소리의 명창이자 양반들의 시조를 기판시조로 새롭게 창작한 조선권번 소속 기생 출신 '김옥심'의 소리음반이다. 유성기 음반과 경성방송국 시절 그 이후의 김옥심의 삶 또한 중요한 의미가 있다. 정선아리랑 녹음을 최초로 했던 경서도 소리의 명창, 조선권번 출신 기생 김옥심은 새로운 시조창을 개척한 기생이자 명창이었다.

시조는 풍류방에서 선비들이 남긴 선비판, 양반판이 있다면 이들 시조와 달리 기생들이 발전시킨 일명 기판 시조가 있다. 그러나 창법이 얌전하지 못하고 저속하다는 이유로 해방 이후 쇠퇴한 장르이다. 그러나 엄연히 기생들이 또하나의 변용된 형식으로 계승시킨 시조창이다.

기판시조의 특징은 선비판의 시조에서는 허락되지 않는 자유로운 리들이 있다는 것이다. 재즈로 치면 '스윙swing'과 같은 개념인 셈인데, 경서도 소리의 명창이었던 김옥심의 또 다른 창법의 무대가 최근 주목을 다시 받고 있다. 60년대 초까지 최고의 경서도 소리꾼으로 이름을 떨쳤던 김옥심. 100여 장의 음반을 녹음할 정도로 최고의 인기를 누렸으나, 문화재로 선정되지 못한 이후 그의 행적은 서서히 감춰진다. 그러나 그녀가 남긴 기판 시조와 경서도 소리는 오늘날 다시 조명되어 그녀의 권번기생으로서의 삶 역시 다시금 주목을 받고 있다.

권번으로 전수되어 기생들에 의해 기판시조로 재구성 되었지만 급격히 퇴조했던 시조창. 이것 역시 새로운 '가조'로서 전통성악이자, 기생의 소리로 인정받아 마땅하다.

---

23) 장유정, 『근대 대중가요의 지속과 변모』, 소명출판, p.36.

02 대중음악 분야의 연주활동

1. 신민요와 대중가요

일제강점기 발매되었던 유성기 음반이 1920년대에는 주로 전통음악이 대세였다면, 1930년대에는 새로운 대중음악의 전환기로 들어서게 되었다. 신민요, 유행가, 서양음악 등의 음반이 주를 이루게 되었다.

이 당시 권번 기생들은 음악적 전환기 속에서, 전통음악과 대중음악의 선택적 기로에 선 대표적인 계층이었다. 콜롬비아, 폴리돌 등 대형음반회사의 관계자들은 당시 신민요 가수를 발굴하기 위해 이름난 권번을 수시로 찾아다녔는데 이미 1930년대 대중의 인기는 이미 전통음악에서 신민요 쪽으로 그 기류가 넘어갔음을 알 수 있는 대목이다.

신민요는 전통적인 민요의 선율에 일본식 음계 혹은 서양의 정서를 입힌 새로운 형식의 근대음악이다. 1910년대에 일본으로 유학을 떠났던 음악인들이 20년대 후반에 귀국을 하여 활동하면서 작곡한 음악들이 본격적으로 1930년대 대중적으로 인기를 얻게 된 것이다. 민요의 특징을 그대로 가지고 있지만 당시 대중이 선호하는 정서를 담았기 때문에 그 인기는 계속 치솟게 되었다. 신민요의 음악적 특성상, 기존의 전통음악 교육을 받았던 음악인들 혹은 권번의 소리 잘하는 기생들의 전유물이 될 수 밖에 없었다.

당시 최고의 실력자들이 많았던 평양출신의 기생이 모여있던 '조선권번' 앞에서는 기생을 뺏기지 않으려는 권번 측 관계자와 대중음악계로 섭외하고 싶은 음반 측 관계자들의 견제가 밤낮으로 계속되기도 하였다. 이렇듯, 이미 전통음악을 학습하여 최고의 기량을 뽐내던 기생들은 러브콜을 받으며 늘 관심의 대상이었고, 신민요와 대중가요계로 옮기려는 이른바 '갈아타기'가 기생들 사이에 하나의 '신드롬'이었다.

음반사의 입장에서도 별도의 음악학습이 기생에게는 필요 없으니 비용을 절감할 수 있고, 이미 실력과 명성은 기생이 가지고 있으니 시장개척을 특별히 할 필요도 없었기 때문으로 판단된다. 이러한 '기생모시기' 신드롬 속에, 전통예인 기생 또한 1930년대 당시 전통음악과 대중음악 혹은 양악에 대한 대중의 관심이 양극화 되었기 때문에 깊은 고민을 했을 것이란 추측이 가능하다.

특히, 신민요는 '새로운 민요'라는 뜻의 토속민요를 염두하고 생긴 노래이다.[1] 오늘날의 퓨전국악의 시초라고도 볼 수 있다. 1930년대부터 신민요의 인기는 가히 대단하였고 이미 최고의 인기가수의 반열에 들어선 예인 출신 기생 '왕수복'의 뒤를 이어 인천권번 출신의 '이화자'와 기성권번 출신의 '선우일선' 등이 그 뒤를 이었다.

그러나 전통음악의 전승자이자 대표적인 음악집단인 권번 기생을 앞세웠던 '신민요 열풍'은 반대로 전통음악의 위기를 초래하였다. 전통음악

1) 토속민요는 향토민요 혹은 토민민요라고도 불리운다.

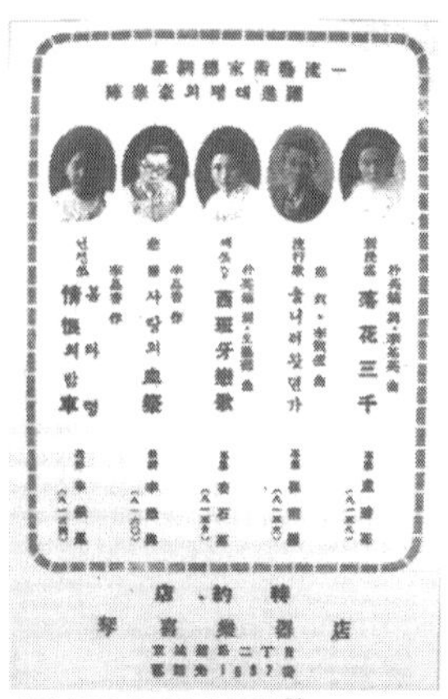

태평 음반사 전속음악인 2)

콜롬비아 취입소와 전속작곡가 사진 3)

을 하는 음악인의 입지는 계속 좁아졌고 그마저도 작은 요릿집이나 잔치가 열리는 곳으로 내몰리게 되었다. 그러한 공연이라도 할 수 있는 음악 연주자는 실력있는 국악인이나 대중계로 가지 않고 지켰던 예인 기생이었다. 신민요의 열풍은 대중음악가들에게도 영향을 미쳐, 그들도 신민요 열풍에 합세하기도 하였다. 그러나 전통음악을 바탕으로 하는 기생출신 가수들의 인기는 이미 그 실력에 힘입어 대중의 인기는 더욱 치솟고 있었다.

그러한 현상은 부작용을 낳게 되는데, 모든 악곡들에 신민요의 개념을 입혀 '新'자가 붙은 악곡들이 쏟아져 나오게 되었다. 기존의 전통음악들 역시 〈新아리랑〉 〈新판소리〉 등의 곡들이 우후죽순 녹음되었으나 정작 신민요와 같은 큰 호응은 받지 못하였다. 그러나 예인 기생집단을 중심으로 유행하였던 '신민요' 열풍 역시 1940년대 이르러 쇠퇴의 길을 맞게 되었고 오히려 1930년대 유행했던 '갈아타기'를 거부했던 당시 예인 기생집단은 해방과 함께 대규모 조직을 만들어 전통음악을 지키고 전승하였다. 이들 기생 중 상당수는 1960년대 제정된 '문화재보호법'에 따라 각 전통분야의 이른바 '인간문화재'[4]로 지정을 받기도 한다.

1930년대 이전까지는 경성방송국에서 고전적인 가사를 부르던 기생들이 많았다. 그중 기생 김초향은 남도소리를 잘하기로 유명하였다. 서도소리보다는 남도소리를 더 많이 송출했던 것으로 보아 대중들은 당시 서도

음반사	문예부장	소속가수
콜롬비아	안익조	채규업, 김선초, 박헌익, 김선영, 최명주
빅타	이기세	이애리수, 강석연, 최남용, 전옥, 강홍식
포리돌	왕평	왕수복,신일선, 김용환
시에론	이서구	김연실, 나선교, 김영환, 최양화, 남궁선
태평	민효식	이난영
오케	금릉인	신불출, 전춘우, 신은봉, 서상석, 백화성

1934년 음반회사의 소속가수 현황 5)

2) 장유정, 앞의 책, p.24.
3) 장유정, 앞의 책, p.23.
4) 오늘날, 국가무형문화재 예능보유자를 지칭.
5) 「六大會社레코-드戰」, 『삼천리』, 1934, 12, p.34~36.

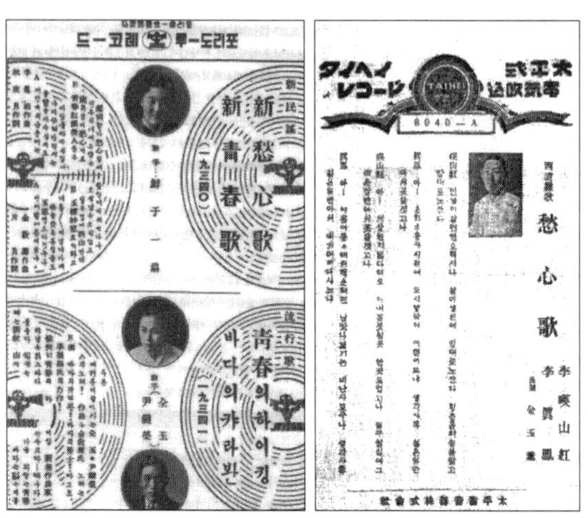

'수심가'와 '新수심가' 가사집 6)

소리보다는 남도소리를 더 선호했으리라 추측한다. 1930년부터 기생의 옷 맵시가 달라졌다. 이미 옛 조선의 기생의 의복이 아니었던 것이다. 이미 1930년대의 대중적인 유행이 이렇게 바뀌어가고 있었고 그 유행은 선도는 기생이 앞장섰다. 당시 여가수로서의 선구자도 역시 기생들이었다.

일제강점기 당시 유일한 방송국이었던 경성방송국에서 해외방송을 시험을 하게 되었고 일본에서도 한국어 제2 방송을 중계하게 되었다. 이 당시 유명세를 탄 이들이 바로, 최고의 실력자들만 모여있던 평양출신 기생들이었다. 이 당시 레코드 가수 중에서 기생출신은 거의 평양이 차지하고 있었는데 왕수복을 포함하여 선우일선, 김연월, 한정옥, 김복희, 최명주 등이다. 이들 모두 평양의 기성권번 출신이었다. 레코드계를 평양출신 기생들이 평정했다고 할 수 있다. 이 중심에는 역시 '왕수복'이 있었다.7)

평양출신 기생에서 최고의 대중스타로 나타난 왕수복은, 기성권번 기생학교에 입학 및 졸업후에 레코드 대중가수로 데뷔를 하게 된다. 이후 콜롬비아에서 포리돌 레코드로 그 소속을 옮기면서 당시 최고의 '유행가의 여왕'으로 불리게 된다. 기생출신 가운데 단연코 가장 인기가 많았던 왕수복은 레코드 회사에서 기생 출신이라는 점을 의도적으로 부각시켜 홍보의 수단으로 삼았다. 기생출신 가수에 대한 의문을 품는 이들도 많았으나 왕수복은 성공가도를 달렸다. 이미 최고의 기생만 모였다는 평양 기성권번 출신이었고, 권번에서 수많은 경쟁을 통해 익혔던 뛰어난 전통음악과 예술적기량이 바탕이 되었기 때문이다. 레코드 판매 수량도 조선 음반사중 최고였으며 왕수복은 이로서 조선 전역에서 가장 유명한 대중가수가 되었다.

왕수복으로 인해, 평양 출신 기생들의 실력이 알려지게 되었고 이들을 둘러싼 경쟁이 과열되는 양상을 보이기도 하였다. 왕수복은 기생출신의 첫 가수라는 점에서 큰 의미가 있다.

기생출신 가수 왕수복과 선우일선 8)

6) 장유정, 앞의 책, p.35.

7) 신현규, 『기생, 조선을 사로잡다』, 어문학사, 2010, p.109.

8) 장유정, 앞의 책, p.38.

봉건적 시대의 잔재로 남은 '기생'이라는 계층에서 '근대의 표상'으로 나아가는 첫 걸음이기 때문이다. 기생이 이렇듯, 대중스타로 변용되는 모습은 우리의 근대음악사의 모습이기도 하다. 이후 다양한 기생출신 가수들이 연이어 등장하였고 1935년 삼천리[9]에 의하면, 당시 10대 가수 중 3명이 왕수복을 포함한 기생출신이었다.

선우일선 역시 포리돌 레코드에서 수많은 신민요를 히트시켜 포리돌이 당시에 '민요의 왕국'이라고 불리는데 일조를 했던 기생출신 대중가수이다. 왕수복처럼 평양의 기성권번 출신으로, JODK라디오에 출연하여 일본전역에 중계가 되어 큰 인기를 끌었다. 〈꽃을잡고〉, 〈숲 사이 물방아〉, 〈그리운 아리랑〉, 〈무정세월〉등의 민요를 불러 많은 대중의 사랑을 받았으며 이후, 1939년에 태평레코드로 옮기게 되었다.[10]

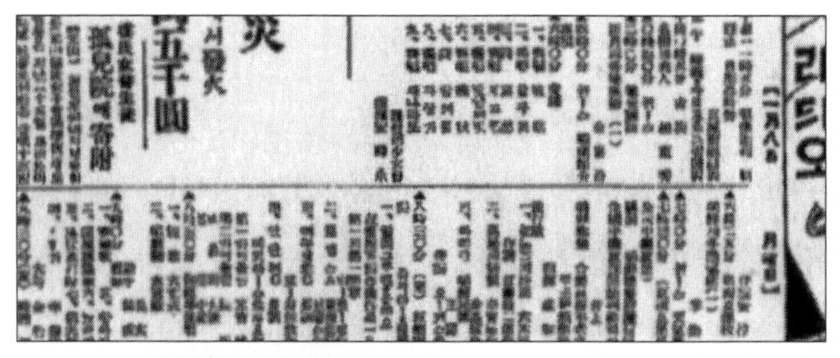

왕수복의 라디오 방송소개 <조선중앙일보> 11)

年頭、朝鮮樂의 飛躍

雅樂을 全日本에 中繼

京城放送局의 試驗、曲目은

名曲青春不老之曲

왕수복의 유행가 방송을 소개하는 기사 12)

2. 아리랑의 재탄생

'아리랑'은 한국 민족의 대표적 민요이다. 한국 민족이 사는 곳에서는 어디서나 '아리랑'을 들을 수 있고, 세월의 흐름에 따라 쌓여진 독특한 지역 가락의 아리랑이 무수히 있는 것을 보면 '아리랑'이라는 민요는 아득한 옛 시절부터 온 나라에 퍼져서 즐겨 부르던 노래이자 구전민요임이 틀림이 없다.

'아리랑'은 한국 문화재청의 조사에 의하면 현재 파악된 것만도 약 60여종 3600여 종이 있는 것으로 알려져 있다. 이러한 '아리랑'에는 그리움 · 사랑 · 기쁨 · 슬픔 · 이별 · 상봉(만남) · 반김 · 미움 · 한恨 · 탄식 · 원망 · 염원 · 행복 · 희망 등의 정서가 짙게 배어 있다. 실로 놀라운 것은 다양한 '아리랑'이 수백 수천 가지의 많은 사연을 사설로 엮으면서도 '아리랑 아리랑 아라리오', '아리랑 고개를 넘어간다', '아리 아리랑 쓰리 쓰리랑 아라리가 났네'의 한 가지 여음餘音으로 연결되어 있다는 것이다. 이처럼 아리랑은 오늘날에도 끝없이 변용되고 재생되고 있으며 대한민국 국민이라면 모두 아는 마치제 2의 '애국가'와 같은 대중적인 노래가 되었다. 그러나 우리가 흔히 아는아리랑 곡조는 전통민요 출신이 아니다. 전통민요가 지역적 특색을 가지며 구전으로 전승되며 변용되는 과정 중에 창작된 신민요[13] 이다.

9) 『삼천리』 제 8권 제 8호, 1935년 8월 1일.

10) 신현규, 『기생, 조선을 사로잡다』, 어문학사, 2010, p.195.

11) 『조선중앙일보』 1934. 1. 8일자

12) 『조선중앙일보』 1934. 1. 7일자

13) 여기서 신민요란 민요를 모티브로 하여 새롭게 창작된 노래로, 민요의 정서는 담고 있으나 엄밀히 말하여 민요의 장르적 · 역사적 특성을 온전히 다 가지고 있다고 할 수 없다. 오늘날 흔히 알고 있는 아리랑은 '본조아리랑'혹은 '신아리랑'이라고 불리우다가 최근 '신민요'라는 장르에 대입하여 쓰이고 있다.

아리랑의 장르 확산과 더불어 대중화의 기점이 된 '본조아리랑'은 1926년 단성사에서 개봉한 나운규 감독의 영화 〈아리랑〉의 주제곡에서 비롯되었다. 일제강점기의 어두웠던 시대적 아픔을 담아낸 이 영화는 우리 민족에게 널리 알려졌고 당시 결속과 연대를 상징하는 〈민족의 노래〉로 자리매김했다.

당시, 나운규 감독과 단성사 소속 김영환 감독이 아리랑의 가사 및 곡조를 만들었는데, 1920년대 중반의 대중적 취향에 맞게 전통음악과 서양음악을 적절히 혼종시켜 왈츠풍 4분의 3박자로 편곡하여 대중의 정서에 부합시킨 것이 오늘날 아리랑이 대중성과 확장성을 갖게 된 원인으로 짐작된다.

이러한 아리랑의 생명력은 비단 '아리랑'이라는 노래에만 국한되지 않는다. 무용, 문학, 연극, 축제 등 다양한 문화예술 영역부터 우리의 생활문화 전반에 걸쳐 두루 자리하고 있으며 이는 국내뿐 아니라 해외에 거주하는 이주 동포까지 전 세계로 확장되었다.[14]

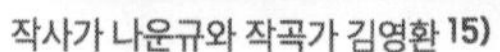
작사가 나운규와 작곡가 김영환 15)

영화 아리랑의 출연진 16)

일본에서 배급한 영화 아리랑의 선전지 17)

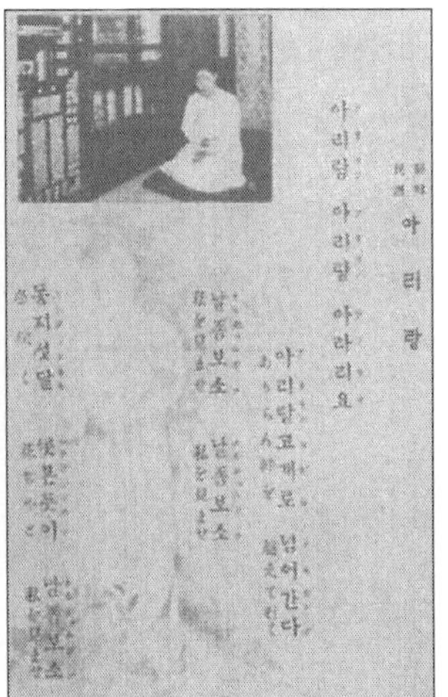

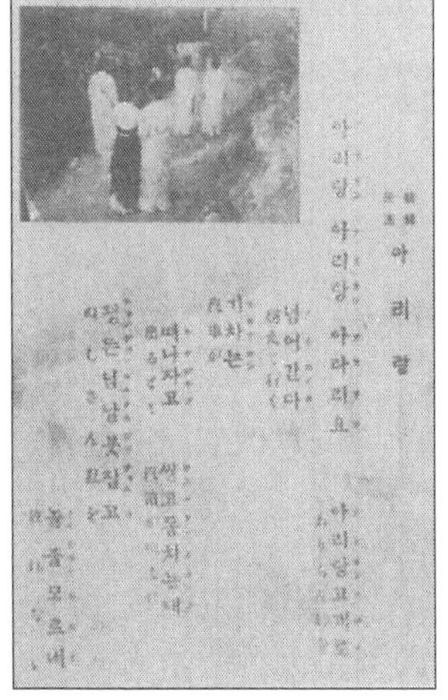

조선 민요 아리랑 사설과 기생사진 18)

아리랑—◇
宣傳紙押收
내용이 불온

작일부터 시내 수은동(授恩洞) 단성사(團成社)에서 상영한 「아리랑」의 활동사진 막고 「핑후레ㅅ도」 중에 「아리랑」 노래 중에 공안을 방해할 가사가 잇슴으로 경찰당국에서는 구월 삼십일에 선뎐지 일만매를 압수하얏다더라

<매일신보> 아리랑 관련 기사 19)

---

14) 김유경의 문화산책 〈42〉, 「단성사와 아리랑, 영화와 노래의 탄생」, 프레시안, 2019. 11.13.

15) 김기현, 「〈아리랑〉노래의 형성과 전개」, 『退溪學과 韓國文化』, 제53권, 1995. p.160.

16) 김기현, 앞의 논문, p.158.

17) 『매일신보』,1926. 10. .3.

18) 조선민요 아리랑의 사설이 우리말과 일본어로 같이 씌어져 있고 배경사진으로는 조선의 기생이 등장한다. 길 떠나는 기생의 뒷모습을 통해 식민지 조선을 바라보는 제국주의적 시각을 볼 수 있다.

19) 『매일신보』,1926. 10.3.

위 아리랑에 관한 기사의 내용을 살펴보면, 당시 일제에 의해 〈아리랑〉은 불온하며 공안을 해친다고 하여 선전지를 모두 압수해갔다는 기록을 볼 수 있다. 당시 유행했던 희곡〈아리랑〉에 등장하는 내용 즉, 일본에 전답과 집을 다 뺏긴 주인공이 북간도로 떠나는 이별 장면에 마을 사람들이 '아리랑' 노래를 불렀던 그 장면은 마치 당시 조선의 마음과 흡사했던 것을 알 수 있다. 당시에도 기생들은 이러한 제국주의적 현실 속에서도 아리랑을 애창하였고 다양한 무대로 변용하여 발전시켰던 것이다.

이렇듯 아리랑은 시간의 흐름 속에서 다채롭게 변신을 하며 오늘날에 이르고 있다. 아리랑과 관련된 문헌을 보면, 성격이 다른 두 종의 아리랑이 병행하고 있었음을 알 수 있다. 첫번째는 기층민중이 불렀던 토착성이 강한 토속아리랑이다, 지역색을 가지고 전승되어 온 〈정선아리랑〉, 〈강원도아리랑〉, 〈진도아리랑〉 등과 같은 민요이다. 또 하나는 소리꾼들이 불렀던 통속아리랑이다. 오늘날 가장 많이 부르고 있는 '본조아리랑'을 포함한 대중적인 '창작아리랑'이다. 여기서 다룰 '아리랑'은 통속아리랑으로서 기생들에 의해 전개된 '창작아리랑'이다.[20]

근대시기 대중음악 분야 중, '아리랑'은 대중가요로서 수많은 가락으로 변용이 되었고 그중, 기생들의 역할이 매우컸다. 아리랑의 형성은 알수 없으나 전개과정에서는 극장과 기생의 역할을 결코 가볍게 볼 수 없는 부분이다. 유성기의 등장으로 매체나 음반을 통해 다양한 아리랑이 변용이 되었고 이것은 토속소리를 반영한 당대의 신민요로서, 통속적인 개념보다는 토속성이 강한 민요로 보는 것이 타당하다.

1900년대 초반, 서울과 평양의 요릿집을 포함한 무대공연장은 잡가로 이루어진 〈아리랑〉이 주를 이루었다. 이후, 극장이 생겨나면서 국가적 행사가 연행되거나 고급기생의 무대를 통해 아리랑이 선보이게 되었고 협률사 혹은 광무대 등의 극장을 통해 점차 성행하게 되었다. 이 당시에도 아리랑은 역시 타령조의 노래로서 대중들에게 애창되었고 점차 관객층의 요구에 부응하며 새로운 아리랑으로 확장하는 계기가 되었을 것으로 추측된다. 형성기에 불리었던 아리랑은 당시 민족의 정서를 담긴 애환과 한이 서린 곡이 아닌, 기생들이나 가객 혹은 전문소리꾼들에 의해 불린 통속류 개념의 아리랑이었을 것으로 보인다. 일제강점기 형성된 아리랑의 정서는 민족적이거나 '한의 소리'로 대변되었을 것이라는 최근의 인식과는 거리가 멀다.

대중에게 인기가 많았던 '아리랑'은 잡가의 주 향유층이었던 권번 기생들이 불렀던 유희적인 노래였기 때문에 당시 지식인들은 매우 지탄하기도 하였다. 정리해보면, 아리랑의 태동기는 각 지역의 토속소리와 권번 기생과 극장에서 소리하던 소리꾼들의 통속소리가 공존하는 환경가운데 확장되었던 것이다.

아리랑이 가장 융성했던 시기는 영화 '아리랑'이 흥행하고 주제가 아리랑이 유성기판과 극장을 통해, 대중적 가요로서 인기를 얻게 된 이후부터이다. 점차 토속아리랑에서 통속아리랑으로 대중적 관심이 움직이고 기생들의 무대를 통해 신민요로 확장되는 가운데 대중가요의 역사와 아리랑의 변용양상을 그 궤를 같이 하였다.

통속아리랑으로 창작의 개념을 적용한다면 작사가와 작곡가가 분명해야 하는데, 〈영화 아리랑〉의 주제가인 아리랑은 나운규가 직접 작사를 하였다고 밝혀놓은 바[21]가 전해지고 있으나 민요의 정서와 흡사한 이 곡의

20) 김기현, 앞의 논문, p.159.

21) 춘사 나운규(1902~1937)의 증언, 삼천리 81호, 1937.1

출처가 토속민요 아리랑인지 혹은 어떠한 아리랑을 편곡을 하였는지에 대한 내용은 분명치 않아 논란이 되는 것도 사실이다.[22]

그러나 이러한 암울했던 일제강점기 속에서도 영화아리랑이 흥행하였고, 영화주제가였던 아리랑이 선풍적인 인기를 얻게 된 시점부터 신민요는 새롭게 창작되는 작업과 토속소리와 결합하는 작업이 공존하기도 하였다. 새로운 전통민요풍의 소리가 대중에게 어필함에 있어서 '아리랑'이 적합했던 것이다. 이 당시에도 기생들은 다양한 음악무대나 공연장에서 활발한 활동을 펼쳤다. 1930년대부터 도시문화가 형성되면서 찻집등의 새로운 공간에서는 이미 기생이나 대중가수 및 배우 출신들이 많았다. 이러한 특정 살롱문화의 중심에도 역시 기생들이 가장 친숙했다. 당시 권번에 속해있었던 기생들은 전통예능과 악기에 능했으므로 레코드나 매체등의 자본의 주목을 받게 되었다. 기생들은 이미 음악 자본시장에 준비되어 있던 예술인이었던 것이다.

점차 기생들이 가수로 데뷔하여 대중가요 분야의 생산자로서의 역할을 하게 되었는데 대중음악계에도 아리랑은 자주 등장하는 소재로서 가수라면, 한번쯤은 개사하여 부르거나 민족적 정서를 불러일으킬 때마다 자주 사용하는 꼭 필요한 주제였다.[23] 이것은 아리랑은 여전이 대중적인 인기나 유행의 정도를 시사했다는 것을 의미하며 통속민요에서 신민요 혹은 대중가요로서의 개념으로 확장되어 간다는 것을 말한다.

대중가요 '아리랑'이라고 한다면, 기존의 전통민요 아리랑과 다르게 작사와 작곡을 한 사람이 분명하다는 점이다. 물론 근대 작곡된 대중가요 아리랑 역시 기존민요의 정서를 토대로 만들어졌기에 근대의 아리랑이라도 민요 아리랑과 가사나 정서가 많이 닮은 것이 사실이다.

가사만 두고 보았을 때, 대중가요 아리랑은 크게 3가지로 나눌 수 있다. 제목에 아리랑이라는 단어가 들어간 경우, 둘째, 제목에는 아리랑이 삽입되지 않았더라도 노래가사에 '아리랑'이 들어간 경우, 셋째, 아리랑의 후렴만 차용하여 부르는 경우가 그것이다. 기생들이 신민요와 대중가요로서 아리랑을 불렀던 시기에는 '아리랑'이 제목이 적시된 경우, 예외없이 노래 가사에도 아리랑을 사용한 것을 알 수 있다. 가사와 후렴을 통해 '아리랑'을 사용한 경우와 그 사례를 살펴보고자 한다.

다양한 창작 아리랑 중, 기생들에 의해 불렸던 아리랑 작품의 사례를 살펴보고자 한다.

1) 가사와 후렴에 아리랑을 사용한 경우

제목이 아리랑이 아님에도 가사에 '아리랑'이 등장한 신민요 사례를 본다면, 1937년, 포리돌에서 제작된 음반의 기생출신 이화자의 아리랑을 들 수 있다.[24]

제목은 〈금송아지 타령〉이지만 '아리랑'이라는 어휘가 사용되었기에 신민요나 대중가요로서의 아리랑 버전임을 알 수 있는 대목이다.

금강두 산골에 자라난 칡덩쿨
한 줄기 쑥 잘너 감어를 두엇다
아리랑 바람에 가는 님의 허리를

---

22) 아리랑 주제가의 작사자는 〈김영환〉설, 『每日申報』, 1925. 1. 3.
23) 김진송, 『서울에 딴스홀을 허하라』, 현실문화연구, 1999, p.218.
24) 한국고음반연구회 · 민속원공편, 『우성기음반 가사집 1~7, 민속원 ,1990.

얼시구 좇타 절시구나 흥

동여나 매잔쿠

- 〈금송아지 타령〉

신민요. 금운탄 작사. 김저석 작곡, 이화자, 포리돌, 1937

〈금송아지 타령〉의 2절에 등장한 아리랑은 특별한 의미는 없이 자연스럽게 이어주는 여음구의 역할을 한다. '아리랑'의 여음구가 등장하는 것은 노래의 음악성을 부각시키고 대중에게 익숙한 아리랑을 차용하여 대중성을 가져가기 위함으로 보인다. 더불어 아리랑 후렴을 연속적으로 차용한 작품을 살펴보면, 역시 기생출신 이화자와 선우일선의 노래가 있다. 관련 사례는 다음과 같다.

북으로 백두산은 구름 속에 꿈ᄭᅮ고

남으로 한라산은 물소리에 꿈ᄭᅮ네

이 강산처녀江山處女들은 삼천리三千里 꿈 속에

五色실로 아롱아롱 사랑을 수놋네

아리 아리 둥둥 스리 스리 둥둥

둥둥둥 북을 울려라

이팔二八은 처녀시설 노래 불으자

- <조선의 처녀>

신민요, 금운탄 작사, 석일송 작곡, 이화자·조영심 노래, 포리돌, 1937

동원東園에 지는 꼿 주서나들고

주름진 녯님을 차저가랴

아리 아리 얼사 스리 스리 스리 조타

세월아 아리 아리 아리 아리 가지 말아

악싸운 칭춘青春이다늙어간다

- <신이팔청춘>

신민요, 남강월 작사, 이면상 작곡, 선우일선 노래, 포리돌, 1935

홍갑사 댕기를 사달라고 졸라도 보았소

아리살짝꿍 응- 스리스리 응-

문경새재 넘어간다 초립동이 아저씨 떠나간간다

간다 간다 초립동이 간다 간다 초립동이

아저씨 떠나간다

- 〈가거라 초립동〉

신민요, 조명암 작사, 김령파 작곡, 이화자 노래, 오케, 1941

위의 사례들은 제목에 아리랑이 등장하지는 않았으나 가사 혹은 후렴 부분에 아리랑이 등장하는 예이다. 이들 가운데 등장한 '아리랑'은 노래의 장르를 보여주는 중요한 예시이기도 하다. 당시 신민요는 기존 전통 민요의 토속소리를 차용하여 창작되었기 때문에 기존 정서를 외면하기도 어려웠을 것으로 보이는 대목이다. 동 시대에 일본을 통해 들어왔던 엔카 계통의 트로트 역시 유행했다는 점을 볼 때, 트로트는 의미가 확연히 드러나는 후렴구를 자주 사용하는데 반해 아리랑은 반복적인 후렴구를 차용했기에 '신민요'장르라는 갈래를 명확히 보여주는 사례이다. 그러나 아리랑이라는 용어가 가사뿐만 아니라 제목에도 '아리랑'이 들어가야 대중가요로서 온전히 인정을 받기에, 제목에도 '아리랑'이 들어간 다음의 경우를 살펴보고자 한다.

2) 제목에 아리랑을 사용한 경우

곡의 제목부터 '아리랑'을 차용했다는 점은 기존의 전통민요 아리랑을 염두에 두고 창작했음을 의미한다. 이러한 개념은 앞서 다루었던 신민요보다는 보다 온전한 대중가요로서 인정할 수 있는 중요한 대목이다. 특색을 살펴보면 반복과 변주의 양상이 자주 등장한다.

아리랑의 가사를 살펴보면, 열린구조를 택하고 있다. 기존의 전통민요처럼 얼마든지 길이와 구조를 줄이거나 바꿀 수 있다는 특징이 있다. 오늘날의 가요처럼 약 3분 가량의 곡으로 구성되어 있기 때문에 대체적으로 가사 역시 3절로 이루어진 경우가 많다. 구조는 오늘날의 '본조아리랑'과 그 맥이 비슷하다. 대중가요 아리랑은 이러한 열린구조를 중심으로 인생과 사랑, 이성관련 가사를 반복적으로 배치하고 대구와 연결을 통해 엮어가는 특징이 있다. 또한, '아리랑'이라는 단어를 반복적으로 사용하여 노래 전체의 통일성과 유희성을 강화시킨다. 경우에 따라 기쁘기도 슬프기도 하며 체념의 노래가 된다. 특히 일제강점기에는 대체적으로 임의 대상을 조국과 가족, 사랑하는 임에 빗대어 나라를 잃은 슬픔에 대입시키는 정서가 민족적인 대중적 감성이 되었다. 대중가요의 아리랑의 구조와 의미를 정리해보면 다음과 같다.

1절 : 풍년(AABA)

2절: 노화 (반의적 대구)

3절 : 시름(유의적 대구)

<아리랑 낭낭> 신문 광고 25)

기생 출신 가수 이화자

신민요로서의 아리랑과 대중가요로서의 아리랑의 존재양상은 목록이 완전하게 남은 기록이 온전치 않아, 확연하게 정리된 음악적 변모를 한 눈에 정리하기란 쉽지 않다. 그러나 분명한 것은 대중가요 아리랑의 곡

25) 『매일신보』, 1941, 1.12.

종이 토속민요에서 〈영화 아리랑〉을 기점으로 통속민요의 개념으로, 이후 신민요에서 대중가요로 음악적 변모가 계속적으로 시도되었다는 점이다.

그 중심에는 극장이라는 공간이 있었고, 향유계층으로는 기생이 있었다. 일제강점기에 들어서 아리랑은 단순한 차원의 민요를 차용한 노래가 아닌, 근대적 저항과 개화의 정서가 반복되는 혼란과 암흑 속에서도 대중에게 환호받던 민족적 정서가 담긴 우리의 노래이자 민요이자 가요였다.

대중가요 아리랑은 근대시기 기생을 통하여 향유되었고 기존의 아리랑의 정서는 계승하되 다채로운 볼거리와 변주를 통해 대중에게 흥미와 감동을 주는 대표적인 아리랑 전승집단이자 대중가요 아리랑을 가장 잘 불렀던 가수였다. 오늘날, 아리랑은 계속 변용중이고 재생중이다. 얼마든지 유동적으로 변화시키고 구조를 변경시킬수 있는 악곡이자 우리의 정서를 가장 잘 담은 토속민요 출신의 노래이다.

기층민중에서 시작한 토속민요. 기생이 대중에게 전개하여 다양한 버전으로 발전된 대중가요 아리랑. 앞으로 아리랑이 변용될 새로운 모습이 더 기대되는 이유가 바로 여기에 있다.

3. 신무용과 레뷰댄스

시대가 변함에 따라 대중들의 정서도 변하게 되었다. 특히, 권번 기생들은 전통 무악을 계승하는 한편, 대중의 선호에 따라 창작무용을 만들어 추었다. 궁중무용의 민간화라는 차원에서 기본 궁중무의 틀은 유지하면서 복식과 장식을 바꾸고, 춤의 길이와 속도를 조절하는 등 새로운 창작과 변형을 통하여 궁중무는 변화하였다. 전통을 지키면서 대중적 요소를 고민하는 예인 기생으로서의 본분을 다하려 노력하였다.

1) 신무용

(1) 사고무

사고무의 안무는 '무고'를 변형하여 창작한 것으로 알려져 있다. 기존의 '무고'처럼 북을 중앙에 하나 뉘어놓는 것이 아니라 중앙에 네 개의 북을 세워서 걸어 놓았고, 네 개의 북과 사방색 의상을 입은 것은 안무에 사방위 개념을 반영한 것이다. 차례로 위치를 바꾸며 북을 치고 춤을 추었다고 했는데, 이는 자기 방위의 북을 치다가 다른 방위의 북을 친다는 것이고, 이때 원의 형태로 돌아가게 되므로 회무回舞하게 된다. 사고무는 기생조합 혹은 권번이 시대적 흐름에 따라 궁중무를 기본 틀로 하여 극장 무대에 맞게 새롭게 재구성 내지 창작한 춤이며, 궁중무가 근대 시기에 민간에서 속화俗化되는 과정을 보여준 대표적 춤이다. 사고무는 1916년 다동기생조합의 하규일이 창작하여 초연하였고, 다동조합 기생들이 주로 추다가 1920년대에는 대동권번, 한성권번도 추었다. 궁중무의 기본 구성에 민속무인 승무의 북치는 대목을 섞어 구성하였다.

일제강점기 기생의 엽서 사진에 다양한 장면이 촬영되었고, 김천흥도 자주 보았다는 점으로 보아 1930년대까지 추어졌던 춤으로 추측된다. 사고무는 점차 북의 개수를 늘리다가 4개의 북을 매달아 달고, 무용수들이 몸을 돌리거나 북채로 화려하게 추는 양식이다. 권번 내 예인 기생들간의 끊임없는 실력경쟁과 명기가 되기 위한 자신과의 싸움 속에서 고뇌하던 기생들의 창작물인 것이다. 권번기생과 그들의 연주회를 통한 무대와 실력경쟁이 없었다면, 탄생하지 못했을 춤 양식이다.

사고무를 연주하는 기생의 모습 1 26)

사고무를 연주하는 기생의 모습 2 27)

사고무를 연주하는 기생의 모습 3 28)

사설극장에서의 흥행을 위해, 권번 기생들은 전통 궁중무를 창작하기 시작하였다. 그렇게 탄생한 무용이 〈전기광무〉, 〈서민안락무〉, 〈팔선녀무〉, 〈이화무〉, 〈사고무〉 등이다. 위의 사진은 당시 관광용 엽서로 제작되었던 경회루를 배경으로 한 기생의 '사고무 연주'사진이다.

연주사진을 살펴보면, '관기'라는 표현이 기록되었음을 알 수 있다. 이 당시 이미 '관기제도'는 폐지되었음에도 관기라는 표현을 사용한 것은 조선의 정서와 궁중여악의 색채를 강조하기 위함이었을 것이다. 다만 1930년대 이후부터, 대중의 고전취향이 점차 흐려지면서 권번의 춤 교육은 점차 명목상으로만 가르치는 교육과정으로 다루게 된다.

권번의 속성은 기능면에서는 전통음악뿐만 아니라 모든 전통 예능분야의 산실이었다. 궁중여악의 문화부터 무용은 궁중음악의 가장 중요한 일무이자 늘 음악과 함께 존재했던 전통예능이었다. 이러한 면에서 전

26) 국립민속박물관, 앞의 책, p.78.
27) 국립민속박물관, 앞의 책, p.79.
28) 국립민속박물관, 앞의 책, p.75.

통음악의 범위에 늘 음악과 무용은 함께하였다. 권번에서는 궁중 무용의 정서적 개념을 그대로 전승하였고, 다양한 장르로 확장시켜 교육하였다.

(2) 축하무

일제강점기에 발행된 잡지나 신문기사 등을 보면, 당시 권번이나 기생들의 축하무 양식을 어렵지 않게 볼 수 있다. 기존의 궁중무의 양식은 아니지만 복식은 꽤 흡사했던 이 무용은 그 유래가 분명치는 않으나 분명 기생의 창작춤으로 추측되는 양식이다.

시정오년기념성택무(始政五年記念聖澤舞) 29)

위 사진[30]은 1915년에 『매일신보』 1915년에 실린 사진으로 〈시정오년기념성택무始政五年記念聖澤舞〉로 보이는 모습이다. 매일신보에서 소개하기를, 기생 13인을 조선 13도로 나누어 여러 색상으로 지방을 대표하여 장래에 발전하길 축원하는 춤으로 기록하고 있다. 사고무와 같이 기생이 주체적으로 만든 창작무이기 보다는 일제강점기 경시청의 감시와 관할을 받는 바, 경시청의 주도로 다동조합에 의해 기획되어 창작된 무용으로 판단된다.

평양 기생학교의 축하무(祝賀舞) 31)

또한, 평양 기생학교 축하무의 모습이 담긴 사진 역시 볼 수 있는데 무엇을 위한 축하무인지는 분명치 않으나 궁중무 스타일을 창작한 창작무임을 짐작할 수 있다.

기생의 춤은 오늘날에도 여전히 공연예술로서의 가치보다는 뭇 남성들을 유혹하는 동작 따위로 오해받거나 치부된다. 기생의 춤이기에 그렇다. 그러나 기생의 춤과 그 양식은 궁중무용과 민속무용으로 구분되어 전승되어왔고, 역사적 흐름가운데 창작되고 변용되었다. 춤사위가 균일하게 고정되어 있는 것과 즉흥적인 상황에 맞게 추는 춤으로 나뉘는 것이다.

일제강점기 전통공연 양식에 있어 춤 계승자는 권번 기생밖에 없었다. 권번 내 경연에서 혹은 극장이나 요릿집 등 무대가 만들어지는 공간이라면, 대중들은 기생을 연호하였고 기생들은 기대에 부응하였다. 궁중의 관기들이 민간에 나오면서 불가피하게 요릿집이나 권번에서 궁중무용을 시작했듯이 축하무를 비롯한 다양한 창작무들이 이렇게 탄생되었다.

29) 향토문화전자대전, https://www.kmdb.or.kr/db/kor/detail/movie/A/06598>, (검색: 2023. 7. 10).

30) "시정오년기념성택무(始政五年記念聖澤舞)" 『매일신보』 1915년 9. 10.

31) 국립민속박물관, 앞의 책, p.54.

2) 레뷰댄스

1910년에서 1920년은 더불어 서양식 음악과 댄스가 들어오게 되는 시점과 맞물린다. 서구문물이 유입되면서 전통예술 분야에 큰 영향을 주었고 점차 대중적 취향을 가미한 홍미 위주의 감각적인 춤으로 변화하기 시작하였다. 또한 서양식 극장이 설립되고 다양한 공연들이 무대에 오르면서 기생들은 드디어 '만능 엔터테이너'로서의 역할을 하며 무대에 오르게 된다. 춤, 판소리, 창극, 잡가 등 장르를 가리지 않고 무대에 섰는데

조선호텔에서 열린 무도회 32)

◇茶洞妓生의西洋舞蹈

다동기생의 서양무도 관련 기사 33)

서양무도 또한 기생들이 무대에서 최초로 추었다. 처음 들어왔던 춤 양식은 서양식 사교춤이었을 것으로 추측된다. 조선에 이미 들어와 있던 외교관저를 중심으로 무도회 춤 양식이 전파되었을 것이다.

> [다동기생의 서양무도]근자 다동조합에서는 해 조합 기생에게 서양무도를 교수하여 개석 혹은 연주회에 출연시키는데 아직 배운 지는 몇 일 아니 되나 본래 조선춤에 숙련이 있는 까닭으로 진보가 매우 속하여 여러 사람 앞에 내놓아도 과히 남부끄럽지 아니하다하니 이렇게 한가지 두가지씩 배우고 연구하여 새것을 보여 주는 것은 보는 사람에게 매우 재미있는 노릇이라, 아무조록 열심히 힘써 조선기생도 이만하다 하는 것을 남에게 보이도록 되기를 바라노라.
>
> -『매일신보』 1917. 10. 21.

1900년을 전후하여 유럽이나 미국에서 추던 춤 양식을 조선 내 외교관들이 주최한 무도회를 통해 전해졌으리라 추측이 되지만 그 이전까지는 조선에서 어떠한 춤이 추어졌는지는 분명치 않다. 다만, 외교관이나 유학생들이 춘다는 당시 서양무도와 무도회 양식을 풍문으로만 듣는것에서 기생들이 확장시켜 일반 대중앞에 끄집어 냈다는 것이 가장 설득력이 있다. 당시 춤의 형식은 크게 두 가지가 있다. 바로, '오락춤'과 '감상춤'이다.

오락춤은, 연행의 주체와 즐기는 향유주체가 하나인 형태로 내가 스스로 즐기는 춤의 유형이다. 예를 들어 사교춤이 있다. 이것은 학교현장에서의 교육무용으로 변용이 되기도 하였는데, 당시 '창가유희'등으로 체육시간에 가르치던 과목명이었으며 이것은 한국무용사에서 지칭하는 최초 서양식 춤이라 할 수 있다.[34]

---

32) 김영희, 앞의책, p.145.

33)『매일신보』1917. 10. 21.

34) 김주영, 「근대 한국춤 형성에서의 외래춤 도입 과정과 그 변모양상에 관한 연구」, 중앙대 석사학위논문, 1998, p13.

감상춤은 연행을 하는 주체와 향유하는 주체가 분리된 형태로, 공연으로서 보이기 위한 춤을 말한다. 이러한 형태는 무대에 올리기 위한 예술성이 강조된 춤으로서, 당시 기생들이 이 춤을 변형시켜 대중적인 춤으로 발전시켰다. 이러한 춤의 형태는 이후, '레뷰춤'으로 당시 대중들에게 최고의 인기를 얻게된다.

'레뷰 춤Revue Dance'이라는 용어는 현재는 쓰지 않는 용어이다. 그러나 이 용어는 '레뷰 춤', '레뷰 걸'이라는 용어로 당시 일제 강점기에 자주 사용되었던 용어였다. 당시 기생이 이 '레뷰 춤'을 무대에 자주 올렸다는 뜻으로 해석할 수 있다.

'레뷰 춤'이란, '레뷰'라는 공간에서 추는 춤을 일컫는다. 당시에 사용되었던 '레뷰'라는 용어는 드라마나 오페라, 발레, 재즈 등과 같은 요소를 가지고 음악과 춤을 더하여 화려한 연출을 하는 무대예술을 말한다. 본래 레뷰라는 춤은 프랑스 파리에서 매해 12월에 한해동안 있었던 일을 재빠르게 장면을 바꾸어 가며 풍자적으로 연출했던 것으로 이후, 영국의 작은 무대나 극장에서 유행하게 되어 발달하였다.

결국, 레뷰 춤이라는 형태는 전문적인 춤의 장르가 아닌 보여주기 형식의 '쇼show'에서 추는 춤인 것이다. 레뷰춤의 성격은 무겁거나 어두운 소재보다는 대중의 흥미를 유발하고 관심을 끌만한 재미있는 소재나 가벼운 테마를 화려한 요소를 통해 꾸민 춤을 말하는 것이다.[35] 이러한 새로운 춤의 등장으로 인해 당시 유학생들은 고풍스런 기생의 요릿집이나 극장이 아닌, 다방이나 댄스홀 등으로 장소를 옮겨간다. 이러한 연유로 점차 기생들의 춤도 변하게 되었다. 대중의 관심을 더 얻기 위한 기생들의 창작과 노력은 춤 문화에서도 끊이지 않았던 것이다.

우리나라에 처음부터 레뷰댄스 전체가 들어온 것은 아니었다. 1930년대부터 유행했던 악극이나 연극 등의 장르에서 레뷰댄스라는 말이 처음 사용되었다. 이미 그 이전부터 기생들은 서양춤을 추기 시작하였다.

전통춤 이외에 서양식 댄스나 양댄스 등을 추었다는 기록이 보면 그 장르를 알 수 있다.[36] 조선권번의 전신인 대정권번에서 이미 기생조합 이른시기부터 서양무도를 가르치고 있었다는 것을 보면 1920년대부터 이미 활발히 서양무도가 보급된 상태임을 알 수 있는 대목이다. 조선권번에서는 일찍이 서양댄스단이, 대동권번에서는 무도반이 레뷰 춤을 춘 것으로 알려져 있다.

대정권번 소속 동기였던 조산월과 이보패는 이미 12살 당시, 서양무도 5종과 3종을 할 수 있었던 만큼 이미 권번 내 어린기생들에게 서양무도의 교육이 이루어졌음을 알 수 있는 대목이다.[37] 레뷰공연이 인기를 끌

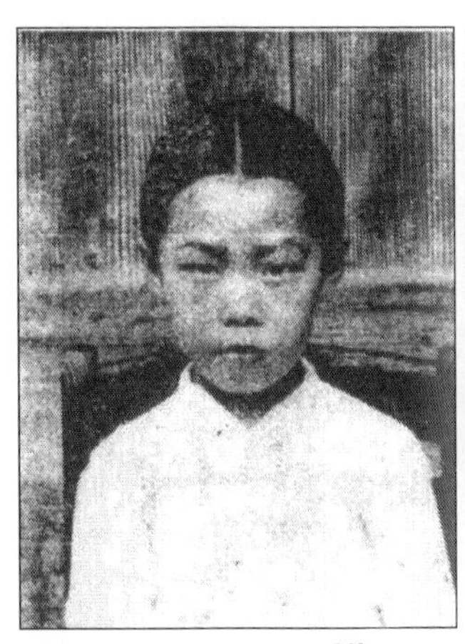
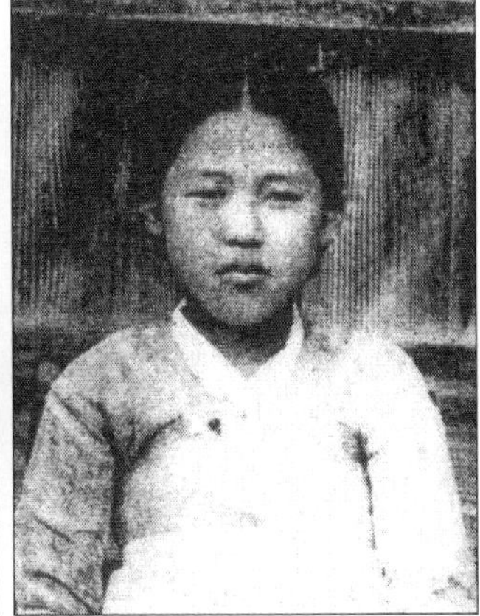

대정권번 소속 조산월과 이보패 38)

35) 김영희, 앞의책, p.107~108.

36) 조선미인보감 해제(이진원), 『조선미인보감: 기예란』, 민속원, 2007.

37) 조선미인보감, 앞의책, p.231.

38) 조선미인보감, 앞의책, p.230.

자 권번에서도 기생들에게 다양한 서양춤을 교육시켰던 것이다. 이렇듯, 경성의 다양한 권번에서는 '무도부舞蹈部'를 설치하여 기생들을 교육했고 그 내용은 오락춤인 사교춤과 감상춤인 서양댄스, 레뷰댄스를 포함하고 있다.

1938년 매일신보에 따르면, 매일신보사가 주최했던 운동회의 프로그램에 레뷰춤이 등장한다. 종로권번에서 공연을 한 레뷰춤을 지칭하여 '종로권번 기생의 레뷰'라는 기사제목으로 사진과 설명이 실렸다.[39)]

주목할 만한 점은, 레뷰 춤이 여흥의 프로그램 일환으로 공연에 올려졌다는 것이다. 권번에 '레뷰부' 혹은 '무도부'가 따로 있는 것으로 보아 레뷰 춤 역시 전통춤과 동일하게 형식을 갖추어 대중들에게 선보이고 있었음을 알 수 있다. 이후부터 권번에서는 박람회나 정기연주회, 기획공연 등에서 기생들이 보다 파격적인 서양식 복식으로 레뷰 춤을 추는 모습이 자주 등장하게 되었다.

평양 기생학교 기생의 레뷰댄스 1 [40)]

평양 기생학교 기생의 레뷰댄스 2 41)

평양 기생학교 기생의 레뷰댄스 3 42)

어깨를 드러내고 짧은 치마를 입은 노출이 있는 복식의 기생이 등장하기도 하고, 전통 한복의 치마형식이 긴바지 형식의 서양식 복식을 입은 기생이 생소하기도 하지만 당시 대중에게 어필하기 위한 기생들과 권번들의 공연무대는 레뷰댄스를 비롯하여 꽤 파격적이었고 춤사위도 곡예적인

39) 『매일신보』 1938. 5. 14.

40) 국립민속박물관, 앞의 책, p.83.

41) 국립민속박물관, 앞의 책, p.82.

42) 국립민속박물관, 앞의 책, p.83.

것이 많았다. 1930년대 부터는 더양한 공간에서 더 많은 형태의 레뷰 춤이 추어졌던 것이다. 그러나 분명한 것은 보여주는 감상용 혹은 무대용 춤이라 하여 아무렇게나 추는 서양식 춤이 아니었다는 점이다. 일정한 테마와 형식이 있었고 레뷰 춤을 추는 이들은 일정하고 상당한 실력을 지녀야 한다는 점이다. 그 기준을 모두 충족함과 동시에 지속적인 교육과 공연활동이 가능한 집단이 바로, 기생이자 소속 권번이었다. 이렇듯, 일제강점기였던 1920년대 후반까지는 레뷰 춤의 양상이 크게 다르지는 않았으나 1930년대 이르러 기생들이 다양한 공간에서 일정한 테마와 형식을 가진 세련된 레뷰 춤을 추게 되면서 비로소 대중화가 된 것이다.

그렇다면 그 레뷰 춤의 흔적이 현재는 어디에 있을까? 레뷰 춤은 텔레비전의 쇼 프로그램으로 옮겨갔다고 보여진다. 특히, 1964년 시작된 동양방송TBC의 개국과 함께 시작된 프로그램인 '쇼쇼쇼'는 당시 최고의 인기 프로그램이었다. 가수가 등장하기 전에 재담을 펼치고 다음에 가수를 소개하는 식이다. 이 프로그램은 1983년까지 이어지게 되는데, 당시 인기가수들이 무대에서 공연을 하지만 무대를 이루고 있는 레퍼토리는 이미 1930년대에 이루어졌던 기생들의 '레뷰 춤' 양식임을 알 수 있다. 기생들의 대중문화 양식이 그대로 80년대까지 이루어졌음을 알 수 있는 대목이다.

동양방송(TBC) '쇼쇼쇼'프로그램 장면 1

동양방송(TBC) '쇼쇼쇼'프로그램 장면 2

03 음악활동 공간

1. 권번 공간

1) 한성권번

20세기 이후 근대 정책이나 제도에 의하여 여성 공연예술가들이 집단화되기 시작하였는데 이 과정에서 기생의 이름을 내세워 두드러지게 활동한 집단이 바로 '한성기생조합'이었다. 한성기생조합은 조선 후기부터 이어지는 여성공연계의 전통을 이어받은 집단이자 관기 출신 기생들이 주로 포진해 있던 집단이다. 한성 기생조합이란 당시 설립 초기의 법적 명칭이었고 이 집단을 '광교기생조합'이라고 불렀다. 그러나 광교기생조합 시절에도 조선후기의 여악의 관례들을 완전히 해소하지는 못했던 것으로 알려져 있으며 조선 후기 기생조합 소속 기생들에게도 후원자는 있었을 것으로 추측된다. 즉,"한성기생조합-광교조합-한성권번"으로 이어지는 계보는 20세기 이후 새로운 제도 하에서 기생과 후원자의 이익과 권리를 보호하기 위해 만들어진 집단이라고 할 수 있다.

한성권번漢城券番은 이렇듯, 한성기생조합을 시작으로 1914년 권번으로 명칭이 바뀌며 생겨난 곳으로 전통예인 기생인 1패 기생들이 주로 모여

있던 권번이다. 기생들 중, 단연코 최고의 예능을 뽐내던 일류 기생들이 포진해 있던 경성 최고의 권번이다.

한성권번은 과거 관기 출신이었던 기생들이 주로 소속이 되면서 구성원들은 조선 후기부터 전해 내려오는 궁중 여악 및 서울지역 민간에서 활동했던 기생들의 레퍼토리를 적극적으로 계승했다. 이러한 이유로, 1920년대 이후 기생계의 통폐합과 이합집산의 과정이 빈번하게 이루어질 때에도 한성권번은 온전히 유지되었던 것으로 알려져 있다. 특히, 춤과 소리로 유명했던 류개동, 장계춘, 김용태 등을 스승으로 두고 미모가 뛰어나며 총기가 넘치던 기생들을 양성하던 경성 내 최고의 기관이었다.

한성권번은 기생조합으로 시작했던 당시부터 극장에서 활발한 공연활동을 펼쳤다. 흥행을 위한 기획공연부터 자선공연에 이르기까지 다양한 기생들의 공연이 있었다. 조합의 결성 초기에는 궁중여악의 공연종목이었던 궁중정재를 공연함으로써 당시 사회에 궁중미와 더불어, 여성의 우아미와 세련미를 각인시켰던 최초의 집단이었다.

한성권번과 소속 기생의 모습 1)

1) 신현규, 앞의 책, p.42.

한성권번의 기생 이취송과 유금도 2)

다른 여러 권번과 달리, 처음부터 끝까지 조선인에 의해 경영되었던 집단이자 여러 강제정책에도 흔들림 없이 유지되었던 유일한 기생집단이었다. 관기출신 기생과 궁중가무를 장기로 내세워 조직의 전문성을 확보하는 한편 다양한 공연물을 수용함으로써 이루어낸 결과물로 수십년 간 그 가치를 인정받았다.

2) 대정권번

대정권번大正券番은 1913년 다동기생조합이 조직되어 이후, 대정권번으로 그 명칭이 바뀌었다. 대정권번 역시 뛰어난 전통예인 명기들이 즐비했던 권번으로 늘 대중들의 인기를 한 몸에 받던 권번이었다. 한성권번이 '유부기기생[3]'들의 조합이라면 대정권번은 서방이 없는 기생인 '무부기기생'들이 중심이 되어 만들어졌다. 그러나 아쉽게도 1935년부터 그 인기는 점점 유명무실해지게 되었다.

대정권번의 전신인 다동기생조합과 대정권번의 모습 4)

대정권번의 기생 이난향 5)

---

2) 국립민속박물관, 앞의 책, 28.

3) 서방이 있는 기생을 뜻함.

4) 신현규, 『기생, 문화콘텐츠 관점에서 본 권번기생 연구』, p.43.

5) 다동기생조합 출신이며, 이후 대정권번에 들어가 가곡명인 하규일에게 12잡가를 포함한 모든 잡가 및 정가, 가무악 일체를 배웠다. 궁중정재와 춤에도 능했다고 알려져있다.

3) 조선권번

조선권번朝鮮券番은 당시, 최고의 가곡 명인이었던 '하규일'이 대정권번에서 분립시켜 새롭게 만든 권번이다. 조선권번의 설립 초기부터 번영기에 이르기까지 다수의 명기들이 있었다. 이들이 기예를 배우고 완성하는 데에는 하규일의 역할이 컸다. 완성하고 지속하는데 조력했던 인물이 바로 최고의 가객이었던 하규일이었다. 그는 전통적인 공연물 외에 새로운 공연방식을 시도하면서 기생의 극장 공연을 주도했다. 당시 권번들은 경성에서 기생들의 이합집산의 과정이 한참이었다. 조선권번은 조선가무의 정통성을 잇고자 하규일에 의해 설립되었고, 대정권번에서 탈퇴한 기생들도 합류하게 되었다.

1920년대 초 설립당시에는 신생권번으로 그 규모가 가장 작았으나 1930년대에 들어서 서울의 3대 권번으로 불리며 가장 흥했다. 한성권번, 종로권번들과 비교하여도 그 세수가 가장 컸다. 또한, 하규일의 주도하에 다양한 정악과 정가 교육에도 앞장섰으며, 전통 공연 외에 다양한 공연물을 선보이며 전통예술의 확장에 기여했다.

당시 기타 권번들은 수익이 되는 공연양식 위주로 진행했던 것에 비해, 조선권번은 기생의 가무악과 전통예능 교육에도 적극적이었음을 알 수 있다.

4) 한남권번

서울에 기생조합과 극장 등이 생겨나면서 타 지역의 출신 기생들이 대거 상경하기 시작했다. 1910년대 초까지만 하더라도 서도 기생에 비하여 남도 기생은 지역의 정체성 영향으로 서울에 정착하기 어려웠다. 다동기

조선권번 기생 이옥란[6] 과 이금화[7]

조선권번 기생 김옥심과 백운선 [8]

조선권번 기생 현매홍[9] 과 김옥엽 [10]

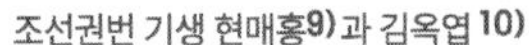

조선권번 기생 이소향과 미상의 기생 [11]

생조합이 결성될 당시, 남도기생은 서도기생과 연합하기도 했으나 기생의 규모나 조직 내 영향력에 있어서 서도기생을 앞설 수 없었다. 극장 공연의 무대매너나 실력에 있어서는 남도기생이 서도 기생을 앞서고 있었다. 이러한 점은 다동기생조합 내에서 서도기생과 남도기생의 갈등을 야기시켰다. 이러한 이유로 다동기생조합의 기생들 중, 극장공연 등을 통해

---

6) 조선권번 기생의 이옥란, 당대 회고의 12잡가의 명인으로 콜롬비아 레코드사에서 '유산가'로 음반을 취입한 당시 대중스타였다.

7) 조선권번의 이금화. 왼쪽 가르마를 하고, 일본식 화장을 하고 있다.

8) 경기민요 명창이자, 최초로 정선아리랑 음반을 녹음한 조선권번 출신 기생.

9) 잡가와 시조에 능했던 조선권번 소속 기생.

10) 경서도 소리 명창이었던 조선권번 소속 기생.

11) 가야금병창에 능했던 조선권번 소속 기생.

명성을 떨쳤던 남도기생들은 따로 새 조합을 결성하였는데 이것이 바로 한남기생조합이었고, 이후, 한남권번으로 개칭되었다. 그러나 1935년에 한남권번은 대항권번 및 경성권번과 함께 종로권번으로 강제 통폐합되었다. 한남권번의 시작은 마찬가지로 '다동기생조합'으로부터 출발하였고, 『조선미인도감』에는 '한남예기조합'이라고도 명기되어 있다.

한남권번의 대중의 지지를 받았던 무대는 다동기생조합 때부터 남도 출신 기생들에 의해 개발되었던 공연 레퍼토리였다. 이화중선은 이미 한남기생조합 성립 전부터 남도명창으로 명성을 얻었던 인물로, 한남권번에 소속된 이후 더욱 한남권번의 명성을 드높인 것으로 알려져있다. 이후로도 한남권번은 규모는 적었으나 박녹주 등과 같이 재능 있는 기생이 참여함으로써 서울 장안의 주요 기생조직으로 자리 잡았다. 그러나 그 규모가 매우 한정적이었기 때문에 일제의 권번 통폐합의 정치적 강제를 넘어서지는 못했다. 일제는 당시, 서울에 있었던 여러 개의 권번을 단, 두 개의 권번으로 통폐합하려 했으나 저항이 매우 심해서 그 중 규모가 열악했던 한남, 대항, 경성권번등과 같은 세 권번만을 '종로권번'으로 강제 통폐합했다. 이후로는 남도 창을 하는 여류급 인물들은 종로권번에 소속되지 않고, 조선성악연구회 '라는 전통성악 조직을 만들고 이를 근거로 활동을 하였다. 이렇듯, 한남권번은경성 내 권번 중 그 세가 가장 약했던 것으로 알려져 있다.

한남권번이 남긴 의미는 남도 출신의 기생들이 서울에서 음악공연을 안정적으로 펼칠 수 있는 근거가 마련되었다는 것이다. 이는 남도음악이 당시 서울의 음악계과 기생들의 음악적 줄기에 남도창이 들어올 수 있는 기회를 마련했다는 것으로, 이후로도 안정적으로 남도음악이 기생 음악계에 공급되었음을 의미한다.

한남권번과 소속 기생의 모습 12)

5) 대동권번

평양출신 기생들이 대정권번에서 독립하여 나온 이후, 조직한 권번이다. 대정권번의 전신인 다동기생조합의 정신을 이어받아 신파극 등을 기획하여 극음악을 주로 연행하였으며 전성기 때에는 200명 이상의 규모를 이루기도 하였다. 대정권번과 경쟁구도를 이루기도 하였으나, 1930년대 부터는 특별한 활동을 하지 못하다가 대정권번에 다시 흡수되어 결국 폐업이 된다.

6) 삼화권번

경성 내 조선, 종로, 한성 등의 3대 권번 주주들이 만나, 통합하여 만든 권번이다. 그러나 일제의 전시동원체제로 인한 통합권번으로 이후, 일제의 감시와 제지를 받아 결국 잠시 광복후에 부활한 적도 있으나 결국 1948년에 그 맥이 끊기게 된다.

12) 김영희, 앞의 책, p.159.

7) 기성권번

지방의 많은 권번 중, 가장 유명했던 권번이다. 조직의 규모나 기예 면에서 당시 서울의 최고의 권번이었던 조선권번朝鮮券番이나 한성권번漢城券番 등과 비교해서도 실력이 떨어지지 않았던 것으로 알려져 있다.

서도명창이었던 김밀화주金密花珠와 산호주珊瑚珠는 기성권번의 사장師匠이었으며 당시 유명한 여류명창이었던 이정렬李貞烈·장학선張鶴仙·이반도화李半島花 등은 모두 김밀화주의 제자로 기성권번 소속 기생 출신 음악인이다.

기생을 전문적으로 양성하기 위해 평양 기생학교를 운영하였는데, 본래 명칭은 '평양 기성권번 기생양성소'이다. 이를 보기 위해 일본인들까지도 관광을 왔다고 할 정도이다. 경성의 주요권번과 더불어 최고 규모의 권번이자 기생의 수준도 상당한 예인들로 구성이 되어 있었다.

평양기성권번의 기생학교는 입학때부터 교육과정이 매우 엄격하였고 모든과정을 통과후에 전통기생으로서 활동을 하게 될 때, 예인기생으로서 품격과 수준에 따라 공연의 개런티와 화대의 차이가 있었다.

이러한 기성권번은 이후, 조합제로 주식제가 되면서부터 기존 기생들이 반발이 심해졌고, 결국 1932년 9월 윤영선에 의해 주식회사로 바뀌게 되었다.

평양 기생학교의 모습 13)

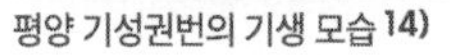

평양 기성권번의 기생 모습 14)

평양 기성권번 출신 기생 왕수복 15)

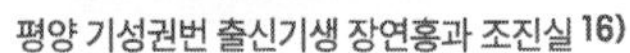

평양 기성권번 출신기생 장연홍과 조진실 16)

---

13) 오른족 현판에는 '기성기생양성소'라고 씌어져 있으며 1930년 이전의 평양의 모습으로 보인다.

14) 향토문화전자대전,〈busan.grandculture.net/Contents?local=busan&dataType=04&contents_id=GC042P53278〉, (검색일: 2023.7.10)

15) 기성권번 출신의 왕수복은, 1930년대 레코드계의 당대 최고의 기생 출신 대중가수가 되는 인물이다.

16) 장연홍은 14세 때 기생이 되어 뛰어난 미모로 당대 이름을 날렸던 명기출신. 조진실은 기성권번 출신으로, 당대 일본어에 가장 능통했다고 알려져 있다.

2. 극장 공간

극장은 예술이 보급되고 창조되는 공간이다. 극장이라는 공간은 한 나라의 문화적인 수준을 가늠하는 척도가 되기도 한다. 그러나 우리나라의 경우는 오랜 농경문화 사회와 일제강점기로 인하여 극장의 발달 역시 늦을 수밖에 없었다.[17] 1900년대 초, 서울과 인천을 중심으로 극장이 생겨나기 시작하였다. 새로운 문화사조 속에서 극장은 대중의 관심을 끌기에 충분하였고 당시의 대중적 음악 취향은 전통음악 중심이었다.

극장문화 초기에는 판소리나 민요, 잡가 등과 같은 전통예술 공연이 주를 이루었고 이후 신민요나 창극, 무용과 같은 다양한 형태의 장르로 확장되며 극장 공연문화 역시 변용되어 갔다. 기존의 농촌문화에서 농요나 토속민요가 등장했다면 근대에 들어서 기존의 일 노래가 아닌, 여흥요 내지는 놀이문화가 발전하면서 잡가나 휘모리 잡가 등이 대중에게 점차 인기를 끌게 되었다. 이러한 노래는 바로 극장초기 당시 '유행가'가 되었으며 판소리와 함께 이들을 수용했던 공간이 바로 극장이었다.

극장의 모델은 서구적이었고 특히, 일제강점기에는 일본식 극장모델이 대부분이었으나 극장을 통해 근대 공연예술이 꽃을 피웠음은 분명하다. 극장은 기존의 사회적 속성과 공연문화의 개념을 다양한 형식으로 변용시켰다. 기록으로만 향유했던 문화는 공연하는 문화로 바뀌었고 특정 소수의 계층만 누리던 양반문화에서 점차 대중문화로, 개인중심에서 점차 집단문화로 바뀌었다는 점이다. 또한, 전통예술문화는 극장문화가 시작되면서 발전하는 장르와 쇠퇴하는 장르가 공존하게 된다. 판소리를 시작으로 재담이나 창극은 점차 인기를 끌게 된 반면, 마당놀이나 탈춤과 같은 전통연희극은 쇠퇴의 길을 가게 되었다. 특히 창극이라는 장르는 당시 극장이라는 공간이 없었다면 공연물로서 무대에 올리기 어려웠으며 지금까지 창극의 전승이 이루어지지 않았으리라 보여진다.

근대 극장문화에서 가장 두드러진 현상은 기생이 실내 극장의 주 공연자였다는 점이다. 애초, 관기들의 가곡, 궁중무용, 음률 등은 기생의 주요 공연 갈래였음은 이미 알려져 있는바 점차 기존 소리꾼 집단과 창우집단 광대들과 서로의 갈래를 공유함은 물론 판소리, 병창, 민요까지 서로 공유하며 극장무대에 올랐다는 점은 눈에 띄는 부분이다. 당시, 전통공연물은 기생의 공연집단을 중심으로 극장을 통해 깊숙이 대중에게 전달되고 있었음을 알 수 있다. 극장이라는 공간이 때로는 비판의 대상이 되었을지라도 오히려 특정계층을 향유하던 수용층을 불러모으는 일에는 그리 문제가 되지 않았을 것이다.[18] 오히려 대중들을 끌어모으는 관심유발 요인이 되었을 것이다. 이렇듯, 극장은 근대적 가치개념 속에 전근대적인 문화양식을 밀어내려던 표현 창출의 공간이었다는 것이 더 설득력을 얻을 수 있을 것이다.[19] 그러나, 개화기에 이르러 세워진 극장의 공연문화는 연극, 무용, 소리, 등의 공연을 중심으로 이루어지다가 일제강점기를 지나 1950년대까지 그 역할을 이어갔으나 1970년대 들어서, 극장과 영화관으로 그 역할이 구분되기 시작하였다. 다음은 근대 기생공연의 무대가 되었던 주요 극장을 열거하였다.

---

17) 한명희 · 송혜진 · 윤중강, 앞의 책, p.56.

18) 우수진, 「연극개량의 전개와 극장적 공공성의 변동」, 『현대문학의 연구』42, 2010, p.230.

19) 유선영, 「극장구경과 활동사진 보기 : 충격의 근대 그리고 즐거움의 훈육」, 『역사비평』64, 2003, p.365.

1) 협률사와 원각사

협률사는 1902년 설립된 최초의 관립극장이다. 무대나 조명 등, 실내 극장의 형식을 갖춘 최초의 극장이라 할 수 있다. 당시 수많은 소리 명창들을 서울로 모이게 만든 공간이었으며 개화기의 대표적인 근대식 서양 극장이다.

로마 원형극장을 연상케 하는 모습의 극장으로, 당시 고종의 칙명을 받아 최고의 명창이라 불리었던 송만갑, 김창환 등의 소리꾼과 기타 전국의 모든 예인들을 불러 모아 공연을 하였다. 이들은 이후 협률사의 전속 예술인이 되어 급료를 받기도 하였다.[20] 그러나 비난의 대상이 되기도 하였다. 유교적 개념이 강했던 당시의 상황에 비추어 보았을 때, 극장에서 남녀가 만나고 외설적 공연내용이 많아 미풍양속을 해친다는 이유가 그것이다. 이후, 소설가 이인직이 협률사를 연회장으로 사용하기 위해 궁내부의 인가를 얻었고 이후 1908년 협률사는 원각사圓覺寺로 이름을 바꾸게 된다.[21] 이후 원각사는 고전과 창극무대를 주로 공연하였다. 20세기 들어 판소리가 근대식 공연을 하게 된 데에는 협률사와 원각사의 역할이 컸다고 볼 수 있다. 이렇듯, 협률사와 원각사는, 판소리를 중심으로 운영되었으며 여기서 생겨난 분창[22](입체창) 형식은 오늘날 창극의 모체가 되었다.

2) 광무대

20세기 초반, 서울에서 가장 큰 사랑을 받았던 극장이 바로 광무대光武臺이다. 협률사와 원각사가 관립극장의 성격이라면, 광무대는 민간 극장의 성격이 강했다. 광무대의 전신은 당시 동대문의 전기철도회사 소속 활동사진소이다. 1898년 미국인 콜브란Collbran과 보스트윅Bostwick이 설립한

최초의 관립극장 협률사 23)

판소리 명창 송만갑과 협률사 소속 관기 24)

것으로 알려져 있으며 이전에는 주로 활동사진 영사를 하였으나 1907년부터 '광무대'라는 이름으로 공간을 열어 전통예술공연을 흥행시키던 중에, 박승필이 광무대를 인수하게 되면서 전통공연 상설극장으로서 자리

---

20) 전국역사지도사모임, 『표석을 따라 경성을 거닐다』, 유씨북스, 2016, p.23.

21) 전국역사지도사모임, 앞의 책, p.24.

22) 고전 판소리를 변용한 형식으로 혼자서 극을 하는 형태가 아닌 약간의 무대장치를 추가하여 여러 인물이 다양한 배역을 맡아서 하는 판소리의 새로운 형태이며 오늘날 창극의 모체가 되는 형태로 입체창이라고도 함.

23) 외형적으로는 로마식 원형극장의 형태를 본뜬, 600여 석 규모의 극장이다.

24) 한명희 · 송혜진 · 윤중강, 앞의 책, p. 59.

광무대 25) 극장과 내부의 모습

잡게 되었다.[26] 광무대의 내부 구조는 잘 알려진 바가 없으나 유일하게 『무쌍신구잡가』[27]의 표지에 그 모습이 등장한다. 그러나 간략한 형태만 파악할 수 있는 수준이다.

내부의 모습을 보면, 무대는 사각형의 모습이고 상단 중앙에 '광무대'라는 이름의 명판이 있으며 무대 옆으로는 두 개층의 관객석이 자리하고 있다. 무대에는 만국기가 걸려 있고, 기생은 궁중무 의상을 입고 있는 모습을 보여준다. 사진으로 추측해보면, 광무대에 이미 기생이 공연을 펼치고 있었음을 짐작할 수 있는 대목이다.

광무대는 서민의 애환을 달래주는 종합 공연예술 형태로 이루어졌다. 특히, 기생들의 공연 뿐 아니라 당시 유명했던 박춘재의 소리 재담이나 줄타기 공연같은 연희예술도 대중에게 큰 호응을 얻었다. 오늘날의 창극이나 마당놀이와 같은 연희종목을 극장이라는 공간 안으로 처음 들여온 것이 바로 '광무대'였다. 더불어 당시 유행했던 잡가 또한 많이 불렸으며, 전통적인 무대로 대중에게 사랑을 받았던 극장이다.

광무대에는 전속 기생이 존재하였다. 오늘날, 각 방송국에 전속된 배우와 비슷한 개념이다. 물론 전속 기생이라 하더라도 다른 극장에서 무대에 출연하기도 하였다.[28] 전속 기생으로는, 이후의 행적이 분명한 기생 이산옥李山玉과 오옥엽吳玉葉이 있다. 옥엽과 산옥에 대한 기사[29]는 당시 매일신보에서 찾아볼 수 있다.

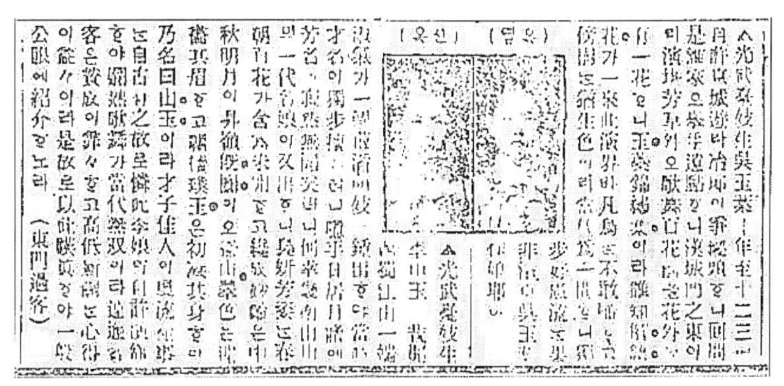
△光武臺妓生吳玉葉

(옥엽) (산옥)

△光武臺妓生 李山玉

(東門過客)

광무대 전속기생 이산옥과 오옥엽의 신문기사 30)

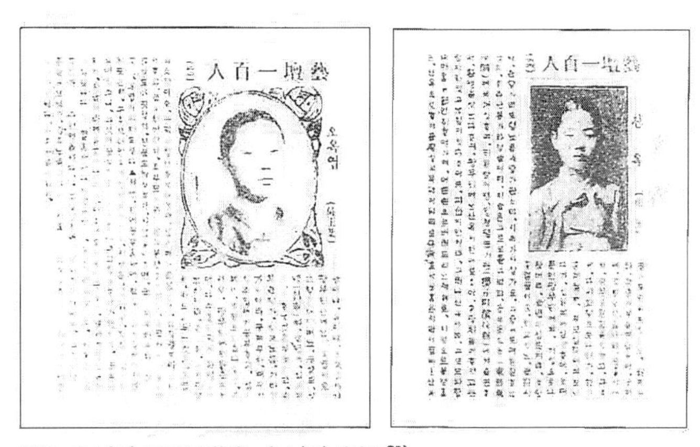

藝壇一白人(22) 오옥엽과 藝壇一白人(66) 이산옥 31)

25) 「사진설명」, 『동아일보』 1925, 4월 1일, 2면.

26) 「광무대를 새로 지어」, 『매일신보』, 1913, 3월16일, 3면.

27) 『無雙新舊雜歌』, 伍星書館, 1915. 표지.

28) 김영희, 앞의 책, p.82.

29) 『매일신보』, 1913. 6.5.

30) 김영희, 앞의 책, p.82.

31) 손종흠 · 박경우 · 유춘동, 『근대 기생의 문화와 예술 자료편 1』, 보고사, 199. p.388.

<table>
<tr><th colspan="2">독무(독창)</th><th>듀엣</th></tr>
<tr><td>무용</td><td><승무> , <검무>, <한량무></td><td rowspan="3">‘산옥의 이도령노름’과
‘옥엽의 방자놀음’

‘산옥 옥엽의 사랑가’</td></tr>
<tr><td>연주</td><td><가야금>,</td></tr>
<tr><td>소리</td><td><방자놀음>, <성주풀이>
<잡타령>, <병창판소리>
<새타령>, <안진소리>
<웃음거리>, <담배장사>
<어사출두>, <줄타령>
<만세가>, <막타령>
<장남노릇>, <장님타령>
<선소리>, <흥타령>
<방아타령>, <넉타령></td></tr>
</table>

장안사의 출연진 및 악곡 장르 32)

옥엽과 산옥의 공연 레파토리는 독무, 독창 중심으로 이루어졌다. 판소리는 매일 다른 눈대목 중심으로 연주하였고, 여러 타령 소리도 불렀다. 극장이 여러명의 전속 기생을 가지고 운영하기에는 재정적 부담이 있었기 때문에 약간 명의 전속 기생을 두고 프로그램을 운영한 것으로 보인다.

光武臺의 拾周年紀念

朴承弼君

광무대 10주년기념 관련 신문기사 33)

당시, 『매일신보』에서는 1914년 1월 18일부터 1914년 6월 19일까지 「예단일백인藝壇一白人」[34]라는 연재기사로 당시 예술계 100명의 인사를 소개하였다. 소개된 예술인 중에는, 명창, 신파배우, 변사와 당시 유명했던 기생 90명이 포함되어 있다. 가장 활발하게 활동했던 100명의 예술인 중 기생이 무려 90명이나 포함이 되어 있다는 것은 여러 의미로 해석 할 수 있다.

우선 당시 예술계에 기생의 수가 압도적으로 많았음을 의미하고 여러 예능분야에서 기생의 역할이 매우 중요하고 컸음을 보여준다. 그 중, 광무대 전속 기생인 '옥엽'과 '산옥'도 포함이 되어있음을 알 수 있다.

3) 장안사

장안사는 1900년대 초반 당시, 협률사(원각사), 광무대, 연흥사, 단성사와 함께 전통예술이 공연되었던 초기 극장 중 하나이다. 협률사, 광무대, 연흥사, 단성사 등의 극장은 설명자료와 설립과정이 비교적 잘 알려져 있는 데 반해, 장안사에 대한 정보가 불분명하다.

유민영에 따르면, 장안사는 1908년에 개관해서 1914년 폐관할 때까지 우리 고유의 전통연희를 공연했던 전문극장이라고 소개하고 있다.[35] 또한, 장안사는 주로 자선공연을 통해서 연희공연과 활동사진 등의 상영에 충실하였다고 설명한 글[36] 또한 볼 수 있다. 그러나 연희공연과 활동사진 상영이라는 두 가지의 측면을 모두 충실했다는 것은 논리적으로는 납

---

32) 「연극演劇과 활동活動, 연예演藝」『매일신보』, 1914. 5.14

33) 『매일신보』, 1918. 9. 5, 광무대 십주년 기념공연에 대한 기사이고, 사진은 박승필이다.

34) 「예단일백인藝壇一白人」『매일신보』, 1914년 1월28~1914년 6월 11일 까지 연재

35) 유민영, 『한국극장변천사』, 태학사, 1998. p.116~132.

36) 한국민족문화대백과사전, 「장안사」,〈https://encykorea.aks.ac.kr/〉, (검색 :2023년 8월23일).

득이 되지 않는 부분이기도 하다. 이렇듯, 장안사에 대한 설명과 자료는 미미하다. 반면, '장안사'가 경제적인 측면이나 경영적인 측면 중 어느 것 하나 갖추지 못한 극장이라는 비판적 견해의 글도 보인다.[37]

신문기사에 따른 장안사의 공연내용과 기생의 활동양상을 살펴보면, 가장 활발하게 극장이 운영되었을 것으로 추측되는 1912~1913년에 이와 관련한 신문기사를 찾아볼 수 있다. 조선연극을 연다는 광고를 지속적으로 광고했으며 상설공연을 시작하여 극장의 수익구조를 개선함과 동시에 관객유치에 힘을 쏟은 것으로 보인다.[38] "장안사에 남녀간 조선명창은 다 모였다고 할 만하더라"[39] 등의 기사와 "채란 해선의 각종소리는 아무라도 한번 들을 만한 소리로구경꾼의 박수 소리가 우레와 같았다"[40] 와 같은 기사를 보면, 장안사에서 수많은 명창과 기생이 공연을 펼쳤고 특히, '채란'과 '해선'이라는 이름이 등장하는 걸 보아, 광무대 전속 기생인 '옥엽'과 '산옥'처럼 이들도 장안사의 전속 기생임을 알 수 있다. 실제 「예단일백인」에 등장하는 기생의 이름과 설명이 중복이 되는 걸 보아, 동일인임을 추측할 수 있다. 이들의 공연양상과 기생의 활동 장르를 분석해보면 다음과 같다. (오른쪽 표 참조.)

4) 단성사

단성사團成社라고 하면, 오랜기간 영화관으로서 인식이 되어 있다. 오늘날, 건물의 외관은 달라졌으나, 지금까지도 같은 자리에 '단성사'라는 이름은 여전히 존재하기에 그렇다.

초창기 극장의 역사를 논할 때 반드시 등장하는 인물이 박승필이다. 당시 활동하던 극장 광무대를 인수해 구극 전용극장으로 운용했던 박승필

	배응현 일행	심정순 일행	김재종 일행
대표전속기생	금홍	한초월 한농월	금홍
	채란		채란
	초향		초향
	해선		해선
판소리 명창	김봉문	김봉문	이동백
	김창룡		김봉문
	송만갑		김봉이
가야금/ 병창	심정순	심정순	심정순
기타 주요출연자	경패	계향 계선 강난장	강진
	계월		경패
	농주		계월
	롱선		新 계월
	산월		김정희
	연향		연련
	홍도		해주
	화향		홍도
	시곡기생 평양 날탕패		남사당패 신남부창기 평양날탕패

장안사의 출연진 및 악곡장르 41)

37) 이재용,「예인집단을 중심으로 한 근대초기 한국춤 연구」, 성균관대학교 석사학위논문, 2001, p.63.
38) 『매일신보』, 1913. 2.15.
39) 『매일신보』, 1913. 3. 2.
40) "오늘은 그 연극장의 일주년 기념일인고로.", 『매일신보』, 1913. 3. 15.
41) 송혜진, 「장안사 및 장안사 소속 '일행'의 공연 활동 연구」,『한국음악사학보』, 제 53집, 2014. p.283.

(1875~1932)은 1918년 단성사를 인수, 전문 영화상영관으로 변모시킨다. 광무대는 1920년대에 들어서자 구극뿐만 아니라 신극에도 사용되었는데, 예를 들어 1925~1926년 사이에 〈토월회〉가 광무대를 전속으로 사용한 것이 그것이다.[42] 한편, 초창기의 단성사는 기생들에게 활동무대를 제공하고 벌어들인 수익금으로 복지사업을 펼쳐 야학이나 고아원 등에 기부금을 기탁하였다. 그러나 연쇄극의 전성기는 길지 않았다. 진짜 영화의 제작을 원하는 관객들에게 단성사의 라이벌이던 조선극장 일본인 소유주 하야가와가 〈춘향전〉을 제작·상영해 큰 성공을 거두게 되는데, 배우만 조선인일 뿐 일본인의 자본과 기술로 만들어진 〈춘향전〉에 충격을 받은 박승필이 조선인의 자본과 기술, 단성사와 광무대의 인력들을 동원해 만든 영화가 〈장화홍련전〉이니, 일제 강점 하에 영화산업을 둘러싸고 벌어진 민족 간의 긴장감과 신경전이 느껴진다.

단성사는 지난 100여 년간 신축과 개축을 반복하며 구극, 영화 뿐만 아니라 전통음악으로도 대중의 사랑을 가장 많이 받는 극장이었다.[43] 단성사의 역사야말로 전통공연과 대중문화의 변천과정의 중심이었으며 시민들이 즐기던 극장공간의 하나였다. 특히, 기생들을 중심으로 소리나 무용이 주축을 이루어 공연이 이루어졌는데 당시 신문기사를 보면, 기생들의 '자선연주회' 혹은 '권번연주회'등의 광고가 주를 이루었다. 특히, 1920년 6월에는 한성. 대정, 경화, 한남 이렇게 네 권번이 서울 단성사에서 최초로 '연합연주회'를 열기도 하였다. 한일 합방 이후, 극장 외부는 서양식으로, 내부는 일본식으로 개축을 한 후 신축 공연 기념을 갖기도 하였다. 당시 공연내용을 보면, 오늘날 궁중무용에 해당하는 선유락, 무고 등이 공연되었음을 알 수 있고, 승무도 포함이 되었다. 특히, 관심을 뜨는 대목은 양반들이 즐겼던 풍류악기인 사풍류, 즉, 거문고 중심의 줄풍류를 연주했다는 점이다.[44] 그동안 지식층들은 그들의 음악을 극장에 올리는 데 주저했다는 점을 의식해 볼 때, 단성사에서 풍류음악을 감상음악으로 연주했다는 점은 당시로서는 상당한 의미를 지닌다.

다나베 히사오[45]가 조선의 궁중악무를 연구하고 조사하는 일정을 소개한 기사가 있다. 기사에 기록된 기행일정은 1970년대 다나베가 집필한 『중국, 조선음악조사기행』[46] 중 「조선」 편에 나와 있으며 「이왕직아악조사일기」에서 자세히 다루고 있다. 그의 기행을 기록한 기사를 보면, 다나베는 기생의 기예와 활동을 5회에 걸쳐 조사한 내용이 등장하는데, 단성사에 대한 내용이 주를 이룬다. 4월 2일자 기록에서, 다나베는 단성사에서 처음 기생의 연주를 본 것으로 알려져 있다. 단성사에 기생의 춤 공연이 있다는 소식을 듣고 다나베는 단성사를 찾았고, 그곳에서 기생들이 조용히 몸을 흔들면서 좌우로 걷듯이 추는 것을 보게 된다. 다만 한곡만 하는 것을 아쉬워했으며 기생들이 춤을 추며 부른 노래가 〈잡가〉의 일종이라고 기록되어 있다.[47] 이는 당시 최고의 상설 흥행극장이었던 단성사에서 기생의 공연이 활발하게 이루어지고 있었음을 보여주는 대목이다. 다나베가 기록한 공연일은 단성사에서 기생이 '잡가'만을 부른 것을 보아, 그날의 예제藝題는 활동사진이 주가 되었을 것으로 추측할 수 있다. 4월 5일

42) 조선일보, 「홍가처럼 버려진 105년 한국 영화 산실」, 2012.3.15.
43) 월간조선, 「100년 전 모던 뉘우스 – 한국 영화의 상징, 단성사와 우미관」, 2017.6.2.
44) 『매일신보』 1914. 1. 28일.
45) 다나베히사오(1883~1984)일본의 음향학자이자 음악학자. 조선의 궁중악무에 대한 연구를 한 것으로 알려져 있다. 다나베히사오에 대한 연구는 국악계에서 많이 다루었다. 긍정적인 평가도 있으나 반대의 연구도 있다: 김수현, 「다나베히사오의 조선음악 조사에 대한 비판적 검토」, 『한국음악사학보』, 제22집, 1999.
46) 다나베히사오, 『중국, 조선음악조사기행』, 音樂之友社 , 1970.
47) 다나베히사오, 앞의 논문, p.140.

자 기록에서는 단성사에서 '승무'와 '검무'를 보았고, 창극인 〈춘향가〉, 〈심청가〉 한 구절과 민요 〈수심가〉와 〈잡가〉를 들었다고 기록되어 있다.[48] 단성사는 공연문화의 원형이자, 기생들을 대거 초청하거나 섭외를 하여 다양한 무대를 선보인 것으로 알려져 있다.

> "동관 단성사에서는 기생 한명에 이원씩 주고 이 십명을 데려다가 연극을 하더니 아마 빚을 좀 진 모양이야, 눈살이 잔뜩 움츠려 졌을때는…(관극생) [49]

위 기사를 보면, 단성사에서 상설공연을 위해 전속 기생 외에도 권번과 소속 기생들을 유치하려 했다는 점을 알 수 있다.

또한, 단성사는 기생 박녹주와 문학가 김유정의 만남이 있었던 공간이다. 당시 연희전문 학생이었던 김유정이 단성사에서 판소리를 하는 박녹주에게 크게 감동하여 사람의 감정을 담은 편지를 보낸 일화는 유명하다. 다만 기생과 학생의 신분으로 둘의 관계는 이어지지 못하였다.

1930년대 단성사의 모습 [50]

최근의 단성사 건물과 역사터 51)

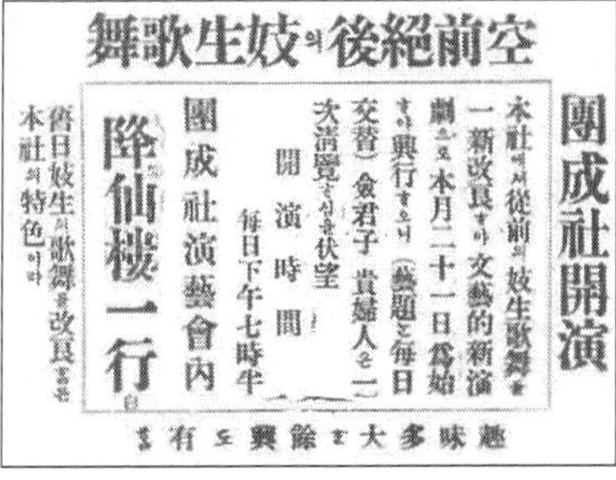

空前絶後의妓生歌舞

團成社開演

本社에서從前의妓生歌舞를一新改良ᄒᆞ야文藝的新演劇으로本月二十一日爲始ᄒᆞ야興行ᄒᆞ오니(藝題는每日交替)僉君子貴婦人은一次淸覽ᄒᆞ심을伏望

開演時間　每日下午七時半

團成社演藝會內

降仙樓一行

舊日妓生의歌舞를改良홈은本社의特色이라

趣味多大ᄒᆞ고餘興도有홈

단성사 강선루의 공연광고 52)

단성사 경영자 박승필의 사진 53)

소설가 김유정과
기생 출신 명창 박녹주

48) 다나베히사오, 앞의 논문, p.145.

49) 『매일신보』 6권 3면, 1924. 2..5.

50) 한명희 · 송혜진 · 윤중강, 앞의 책, p. 65.

51) 전국역사지도사모임, 앞의 책, p.25.

52) "공전절후의 기생가무, 구일기생의 가무를 개량함은 본사의 특색이라" 라는 문구가 눈에 띈다. 『매일신보』, 1912. 4. 21.

53) 한명희 · 송혜진 · 윤중강, 앞의 책, p. 66.

5) 조선극장

조선극장은 1922년에 지어진 최신식 극장으로, 영화와 연극상영을 겸한 극장이었다. 당시 대부분의 극장은 주로 영화상영을 위한 공간이었고 공연을 할 수 있는 극장이라 하더라도 무대가 협소했다. 조선극장도 처음에는 상설영화관으로 시작하려 했으나 연극공연을 할 수 있도록 재설계 하였다. 지금의 인사동 문화마당 자리가 바로 조선극장의 터이다.

주로 공연을 올렸던 프로그램이 영화상영과, 판소리 무대, 당시 5대권번 기생들의 노래와 서양댄스등의 춤곡이었다. 또한 명창대회도 열리는 장소였기에 수많은 극단과 단체들이 모이는 장소가 되었다. 그러나 1935년 동양극장의 건립으로 조선극장은 다시 본래의 취지였던 상설영화관 공간으로 전환되었다.

조선극장의 모습과 설립자 황원균

6) 동양극장

일제강점기에는 일본인들이 중심이 되어 극장을 연이어 지었다. 특히 영화가 대중에게 큰 인기를 얻자 일본인 소유의 극장은 점차 공연무대보다는 영화만을 위한 전용극장으로 전환하였다. 이로인해, 당시 연극이나 전통예술을 하는 창극인들은 공연을 하려면 극장을 빌려야 했다. 당시 몇 안되는 한국인 소유의 극장들도 점차 영화상영을 위주로 전환하는 시점이었다.

이러한 상황에서 1935년에 연극 전용극장으로 만들어진 극장이 바로, 동양극장이다. 회전무대, 음향효과 무대장치 등 공연무대를 위한 세련된 장치를 설치하였고 기생 역시 동양극장의 단골이 되었다.[54)]

동양극장은 이처럼, 우리나라 연극 공연의 시초가 된 극장으로 당대 최고의 무용가였던 배구자에 의해 건립되었다.

동양극장은 개관이후, 영화중심의 기존의 극장들과 차별화되는 움직

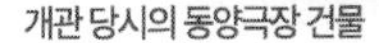

개관 당시의 동양극장 건물

철거된 동양극장 건물[55)]

54) 한국영화데이터베이스, 「일제강점기 극장」, https://www.kmdb.or.kr/db/kor/detail/movie/A/06598〉, (검색: 2023. 8.10).

55) 1976년 폐관 후, 기업체의 교육용 강당으로 쓰이다가 1990년 철거된 후 현재는 문화일보사가 들어서 있다.

임을 보였다. 연극과 무용, 창극과 같은 공연을 선보이는 공간으로 큰 역할을 하였다. 또한, 이러한 무대공간은 판소리가 창극의 형태로 발전하는데에도 큰 기여를 하였다. 창극공연을 통해 일제강점기 억압받았던 민중의 삶을 대변하기도 하였고 점차 대중들은 판소리나 소리 한구절 보다는 연극과 무용과 같은 공연을 선호하게 되었다.

7) 부민관

부민관은 1934년에 기공하여 1935년 12월에 준공이 되었다. 세 개의 강당과 여러 부속 시설을 갖춘 부민관은 당시 최대 규모의 공연장이자 연회장이었다.

당시, 일본은 경성에 대규모 연회장 혹은 오락장의 필요성을 인식하게 된다. 경성의 요지에 위치함으로서 부민관은 최대규모의 매머드급 극장으로 거듭났다. 개관식 기념식 당시, 당시 5대 권번의 기생이 총 출연해서 무대에 섰다고 알려진다. 일본 전통연희 공연을 하였지만, 조선권번이나 한성권번에서는 선유락과 홍문연과 같은 궁중연희를, 종로권번에서는 당시 유행하던 신新무용을 공연하였다. 일제강점기 말기로 갈수록 극장의 공연형태 역시 다양해졌다. 부민관이라는 대형극장이 생기면서 그 추세는 더 가속화되었는데 연극과 창극과 같은 대규모 연극공연 뿐 아니라, 영화나 권투와 같은 오락물 또한 공연으로 올려졌다. 또한 일본인을 위한 선전활동이나 일본전통음악을 자주 공연하기도 하였다.

당시, 동양극장을 비롯하여 단성사, 우미관과 같은 극장은 거의 대부분이 일본인 소유였고 시설이 좋지 못했기에 부민관이 개관한 이유로는 모두 이곳으로 몰려들게 되었다. 당시에 이름을 떨치던 명창, 창극단, 권번 기생, 사당패 등 모든 예술인들은 이곳에서 공연을 하고 싶어하였다. 연극과 창극이 조합된 대형 음악극과 같은 공연도 부민관에서 시도되었는데, 당시 최고의 명창이었던 김소희를 앞세워 이른바 신창극을 대중에게 선보였다. 부민관에서는 그동안 공연으로서 보기 어려웠던 궁중의 의식음악인 '아악'을 선보이기도 하였다. 아악은 이전까지는 일반 대중들이 듣기 어려웠던 음악이었다.

정악과 아악의 개념에서는 극장으로 가볍게 올리기 꺼려하던 유교적 개념의 이유도 맞물렸으리라 추측된다. 그리고 소리 위주의 극을 하던 문화에서 벗어나 보다 볼거리가 많은 풍성한 음악극 장르를 시도하기도 하였다. 아울러, 부민관은 명창들의 고별무대로 이용되기도 하였다. 부민관을 비롯하여 일제 강점기에 활동했던 극장들은 공연 예술의 진흥만을 위함이 아니라 일본의 집회장소로 이용되기도 하였다. 군중을 모이게 할 만한 공간으로 극장만한 곳이 없었기 때문이다.

부민관의 모습 56)

56) 한명희 · 송혜진 · 윤중강, 앞의 책, p. 69

1940년 아악공개 연주회 당시 부민관 입구57)

1940년 아악공개 연주회 당시 부민관 입구58)

극장은 당시 전통예술과 극음악, 연극무대를 선보이며 대중에게 사랑받는 공간이자 아픈 역사의 공간이기도 하였다. 그러나 때로는 민중에게 시름을 잊게 해주고 당시의 연예인과 같았던 재주많은 기생들로 하여금 새로운 유행문화를 선보였던 토론장이기도 하였다.

57) 한명희 · 송혜진 · 윤중강, 앞의 책, p.70.
58) 한명희 · 송혜진 · 윤중강, 앞의 책, p.59.

3. 요릿집 공간

1. 조선의 명월관

일제 강점기는 모든 이들의 일상을 슬프게 만들던 때였다. 나라를 빼앗긴 슬픔부터 기우는 가세를 지키려는 기득권들의 초조함이 맞물린 시기였다. 그러나 한편에서는 또 다른 새로운 권력을 누리며 그들의 문화를 만들어가던 어지러운 세상이기도 하였다. 실력 있고 외모가 출중한 기생들은 생계를 위해서 활동을 하려면 권번에 등록을 할 수 밖에 없었고 권번을 통해야만 요릿집에도 발길을 옮겨 음악과 춤을 연주하고 때로는 접대하며 그에 따른 비용으로 부수적인 수입을 올릴 수 있었다. 이러한 어지러운 사회 분위기 속에서 탄생한 대표적인 요릿집이 바로 '명월관'이다. 명월관은 외국 사절단에게도 접대할 수 있는 유일한 공간이었다. 1903년 9월에 개관한 명월관은 기생 요릿집으로만 알려져 있었다. 그러나 당시 상황 속에서 '조선 요릿집'이란 정당한 비용을 내면 내가 좋아하는 기생을 불러, 융숭한 대접을 받으며 최고의 연주를 들을 수 있는 최고의 상업적 모델이었던 것이다. 조선 최고의 진미를 대접한다는 의미로, 명월관은 '교자상'이라는 방식을 도입하고 이후, 공간을 증축하며 점차 조선의 예술과 요리를 알리는 복합 문화공간으로 자리잡았다.

'명월관明月館'이란 '청풍명월淸風明月'에서 유래된 이름으로 당시 한량들이나 각종 명사들에게 편안한 장소를 제공하고 푸짐한 음식을 대접하는 요릿집으로서 최고의 명성을 쌓아갔다. 처음 명월관이 세워진 곳은 현재의 일민미술관이 있는 자리였으나 이후 화재로 소실된 이후 자리를 옮겨 명월관을 별관 삼아 '태화관'으로 짓게 된다.

명월관 모습59)

명월관 별관 태화관 모습60)

태화관에는 서양식 악대인 양악대가 등장하여 인기를 모았다. 본래, 양악대란 궁정에서 행사가 있을 때만 사용하려 둔 것이 시초였는데 이러한 양악대 출신들이 민간으로 진출하여 태화관에 등장한 것이다. 명월관의 손님들은 이러한 악대의 음악에 맞추어 기생들과 함께 노래를 하며 춤을 추었다.

이후, 명월관은 귀빈들만의 사적인 공간과 요리를 준비하였으며 문인과 예술인들까지 수 많은 명사들이 출입하는 공간이 되었다.

당시, 기생들은 유행하는 노래를 부르고 때로는 춤을 추며 극장과 명월관의 아이콘이 되었다. 특히, 인기가 많았던 명기들은 몇 달전에 예약을

피카디리극장 자리로 옮긴 명월관(1930)

명월관 본점 연회장 무대 61)

명월관 특설무대의 기생 62)

요릿집에서 연주하는 기생 63)

명월관 광고 64) 와 영수증 65)

59) 김기현, 앞의 논문, p. 135.

60) 신현규, 앞의 책, p. 37.

61) 조선요릿집의 원조인 명원관 본점 연회장에서 4인이 검무를 추고있는 사진: 국립민속박물관,『엽서속의 기생읽기』, 민속원, 2009, p.89.

62) 국립민속박물관, 앞의책, p.89.

63) 국립민속박물관, 앞의 책, p.91

64) 1913년의 명월관 새해인사 광고

65) 1940년에 발행된 명월관 영수증

해야 하며 수 배의 비용을 지불해야 하니 오늘날 연예인의 존재와 흡사했다. 기생들은 어느 시대를 막론하고 오늘날의 '엔터테이너'처럼 대중이 모인 장소라면 결코 빠질 수 없는 존재였고 권번, 극장과 요릿집에서 기생들은 악가무의 재주를 다하였으며 대중은 늘 환호하였다.

1) 일본의 명월관

이전 명월관 본점은 오늘날, 동아일보사 자리에 있었고 1919년 이후의 본점 위치는 현재 피카디리 극장 터로 옮겨졌다. 이 내용은 조선권번 출신인 이난향의 회고록[66]을 보면 알 수 있었다. 이난향은 명월관에 대해 요릿집 공간 그 이상의 의미를 가지고 있다고 밝히고 있다. 특히, 일본 동경에 위치한 명월관은 비교적 시간이 흐른 후에 밝혀진 장소이다.

당시, 〈삼천리〉 잡지 기사를 보면, "동경에 조선요릿집이 생겼다. 건물도 조선식, 음식도 고급요리에 치마 저고리 입은 기생이 십여명이 있는데 어째서 그렇게 명월관이 유명해졌는지 보니, 조선 기생의 요염한 자태에다가 조선의 독특한 음식 까닭인 것 같다"라는 기사가 쓰여있다.[67]

또한, 1932년 당시 『동아일보』 기사에는 동경의 명월관에 있는 '기생의 말'이라는 기사로 기생을 모집하는 광고가 담겨 있다.[68] 그러나 최고의 조선요릿집 동경의 명월관은 일본의 정치 관계인사들이 식민지 조선의 통치를 기획하고 의견을 나누던 공간이자 밀실정치의 거점이기도 하였다. 명월관은 조선 요릿집의 명성에 맞게 동경에서도 인파는 늘 북적였고 기생의 인기는 치솟았으며, 동경 외에도 이후 간다神田 지역과 신주쿠新宿 등 다른 지역에서도 '명월관'이라는 요릿집은 계속 이어진 것으로 문헌들은 전하고 있다.

일본 동경의 명월관69)

동경 명월관 광고와 명월관 기생의 모습 70)

동경 명월관 광고와
명월관 기생의 모습 71)

66) 이난향, 「1970~1971년 연재물: 〈남기고 싶은 이야기들〉 明月館」, 『중앙일보』, 1971.
67) 삼천리 벽신문 소식란, 『삼천리』, 1932. 2월호
68) 동경 명월관 광고기사, 『동아일보』, 1932. 1.10.
69) 일본 동경 고지마치에 있었던 조선요릿집 명월관 전경.
70) 신현규, 앞의 책, p.48~49.
71) 김수현, 앞의 논문, p. 11.

제 4 부

대중문화에 나타난 '기생' 콘텐츠

01 / 드라마 〈황진이〉

2000년 이후 새로운 형태의 사극이 대중의 인기를 얻게 되었다. 드라마 분야에서는 〈대장금〉을 비롯하여 〈선덕여왕〉, 〈다모〉, 〈추노〉 등이 인기를 끌었고 영화 분야에서는 〈왕의남자〉를 시작으로 〈스캔들〉, 〈혈의누〉, 〈황산벌〉등의 작품을 통하여 사극 소재의 확장을 이루었다. 이러한 형태의 작품들은 기존 사극과는 달리 퓨전사극이다. 퓨전사극은 역사를 기반으로 한 과거의 내용을 단지 각색한 것이 아니기에 오늘날의 대중들의 삶과도 연결함르써 주인공 인물로 하여금 가치있는 보편적 의미를 발견하는 것이 중요하다. 이러한 까닭에 퓨전사극은 역사 속 일대기에 의존하기보다는 신비주의적 인물이나 행적이 불분명한 매력적인 인물에 보다 주목하기도 한다. 상상력을 더한 인물해석으로 대중들에게 더 어필할 수 있기 때문이다. 이러한 재창조의 과정은 원천자료들을 새롭게 재해석함과 동시에 스토리텔링의 방향성을 대중의 정서에 부합시키고 있다.

이러한 관점에서 2006년에 방영되었던 〈황진이〉를 주목할 필요가 있다. 실제로 그녀에 대한 정확한 생몰연도의 기록과 기생으로서의 활동의 행적은 사실 불분명하다. 그러나 오히려 이러한 점이 '황진이'라는 캐릭터가 대중에게 색다르게 어필할 수 있는 매력적인 소재로 쓰일 수 있다는 점이다. 기생이라는 신분 속에서는 역경의 세월을 보내야 했으나 활동하는 영역과 향유하는 대상은 상류층인 아이러니한 상황이 매체 속에서는 보다 신비하고 매력적인 여성으로 비춰진다. 이렇듯 드라마 〈황진이〉는 당시의 가부장적인 이데올로기와 욕망, 신분체제의 한계 속에서 살아가는 특수한 신분인 기생들의 삶과 예술을 소재로 하여 콘텐츠화시켜 재창조한 대표적인 드라마이다. 이러한 황진이 신드롬은 영화분야로 확장되어 2007년에는 배우 '송혜교'를 주연으로 한 영화 〈황진이〉가 개봉되었다.[1]

드라마 〈황진이〉에서는 황진이가 두 번의 사랑에 실패하며 기생으로서의 정체성을 찾아가는 과정을 그린 드라마이다. 극 중 주인공인 황진이는 기생의 재주와 기예를 동경하여 기생이 되었고 진정한 예인으로 성장하는 과정 중에 만나는 스승과 동료들의 역할이 중요했음을 알 수 있다. 스승인 '백무'[2]는 황진이에게 춤을 가르치면서 부용과 춤 경합을 지속적으로 벌이도록 한다. 이것은 백무의 라이벌이었던 매향과의 관계와

KBS 드라마 '황진이'포스터 3)

1) 이명현, 「영상서사에 재현된 황진이 이야기의 두 가지 방식: 드라마 〈황진이〉와 영화 〈황진이〉의 비교를 중심으로」, 『문학과 영상』, 제11권 1호, 2010. p.130.

2) 백무는 황진이에게 춤을 가르친 스승으로 황진이를 예인으로 이끈 존재이다. 창기취급을 하는 사대부에 맞서서 예인으로서의 자세와 정체성을 일깨워주며 황진이가 벽계수의 첩이 되는 것을 막기위해 자살을 선택한다. 황진이의 예술성을 아끼고 보듬어주는 중요한 인물로 설정되어 있다.

3) KBS 홈페이지, 〈https://program.kbs.co.kr/2tv/drama/hwangjini/pc/index.html〉 (검색일, 2023. 9.3 .).

흡사하다. 황진이를 사랑했던 '김정한' 역시 그녀를 기생이 아닌 예인으로 존중해주는 인물로 묘사되었다.

드라마 〈황진이〉는 춤을 사랑했던 무용가로서의 기생의 정체성을 보여주며 예인으로서의 황진이를 주목하였다. 극 중 결말 부분에는 황진이와 부용이 여악의 행수자리를 놓고 춤의 경합을 하는데 부용은 학춤과 북춤을 추는 한편, 황진이는 저자거리에서 춤을 춘다. 이는 기생을 천시하는 현실을 일깨워주는 메시지로서 황진이를 통하여 사람에는 높고 낮음이 없으며 진정한 예인의 의미를 보여주었다. 비록 '행수'의 자리는 부용에게 양보하는 것으로 드라마는 결말을 맺으나 이미 춤으로 대중에게 최고의 평가를 받는 이는 예인 '황진이'라는 것을 보여주며 드라마는 막을 내린다. 마지막 대사 속 인물들의 대사가 진정한 기생의 역할을 보여주고 있다.

제자 : 저 이는 누구입니까? 행수 어르신
부용 : 내 절친한 지기였느니라. 내가 인정한 유일한 맞수이기도 하고. 무엇보다 교방이라는 담장 그 담장에 가두기엔 너무 큰 예인이었다.

명월(황진이) : 모두가 함께 춤출 수 있는 신명나는 세상을 꿈꾸어본다. 하여 나는 남은 날이 얼마든, 오늘처럼 늘 춤판에 설 것이다. 사람들 얼굴에 번져가는 웃음과 기쁨, 이 갚진 전두가 고통을 넘어설 힘이 되어줄 것임을 믿기 때문이다. 춤은… 춤은 끝나지 않았다. 아니, 끝나지 않을 것이다.

위의 두 대사 예문은 드라마 〈황진이〉 속 마지막 장면의 대사이다. 황진이의 춤을 가리켜 부용이 제자에게 말하는 장면이고, 아래의 예문은 춤을 추는 황진이가 독백을 하는 장면이다. 위의 대사를 통해, 드라마 속 황진이가 추는 춤은 양반 사대부를 위한 기예가 아니라 자신의 가치를 증명함과 동시에 세상과 소통하는 창구였음을 보여준다. 신분과 여성이라는 구조적 한계 속에서도 춤으로 자유의 경지를 향한 것이다.

또한 '시'와 '문학'을 즐기는 기생 황진이의 모습에 주목할 필요가 있다. 드라마 속 황진이는 예인으로서 최고의 기생이 되기 위해 부단히 노력을 하는데 극 중에서도 그 과정을 흥미롭게 그려내었다. 이러한 주제를 표현할 때마다 자주 등장하는 소재가 바로 오늘날 '정가'[4]의 가사가 되는 '시詩'이다. 이전까지의 매체 속 기생의 이미지는 성적인 측면에 치우쳤다면 드라마 속 황진이는 그러한 기생의 이미지를 '예술인'이라는 전문직의 여성으로 평가하며 새롭게 그려내었다. 실제 오늘날까지 존재하는 황진이의 시조인 '청산리 벽계수야'를 활용하여 예인이자 문학에 탁월한 여인으로서 황진이를 표현하였고 그러한 모습은 기생을 남성의 전유물에서 자기 정체성을 추구하는 전문직 여성으로 변화시켰다.

기생이 역사적으로도 실제 문학에 뛰어났다는 것은 익히 알려져 있는 내용이다. 이것은 조선의 신분제와 기생이란 특수한 신분으로 설명할 수 있다. 신분은 비록 천민이지만 예로부터, 국가 행사와 같은 공식적인 연행에 참여하였던 공무원 신분의 예술인으로서의 역할도 담당하였으며 동시에 풍류방에서는 양반사대부의 풍류의 상대로 주로 활동하였던 것을 볼 때, 억압받던 조선사회 규범에서 상당부분 자유로웠다는 점을 알 수 있다. 양반들을 상대하기 위해서는 최소한의 지식과 교양, 시와 그림,

---

4) 오늘날 정가는, 옛 풍류방의 문학이었던 '가곡', '가사', '시조' 등을 모두 합쳐 일컫는 풍류방 성악곡을 말한다. 고려가요부터 내려오는 문학을 가사로 음을 붙여 만든 노래가 정가이며, 당시 풍류방에서는 3장 6구와 같은 음률에 맞추어 즉석에서 시를 선물하고 문학을 교류하는 양반문화가 성행하였다.

문학 등에도 탁월해야 함은 물론이었다. 그러나 여성으로서의 억압적 성윤리에는 자유로울지 몰라도 오로지 왕과 양반 앞에서만 그 기예를 발휘해야 했으니, 화려한 예술인으로서의 기생의 모습 이면에는 복잡하고 혼란스러운 성격을 가진 여성계급이었음을 알 수 있는 대목이다. 그러나 드라마 속 황진이는 기생으로 태어난 것이 아닌 스스로 기생의 삶을 선택하였기에 오히려 사대부와의 관계 속에서도 늘 당당하고 우위를 점하였으며 기생으로서의 삶으로 안주하는 것이 아니라 예술인과 문학인으로서의 활동을 통해 자기완성을 추구한 인물이었다. 이러한 기생 황진이의 모습이 조선시대부터 당대 사람들의 많은 관심을 받으며 문헌 속에 기록이 된 이유일 것이다. 실제로 지금까지 전해지는 황진이의 시조이자 드라마 속 주인공인 황진이가 벽계수와 나누는 '청산리 벽계수야' 시조를 활용한 대사는 다음과 같다.

청산리 벽계수야 수이감을 자랑마라.
일도창해하면 다시오기 어려워라.
명월이 만공산하니, 쉬어간들 어떠리
- 황진이, 시조 「청산리 벽계수야」

황진이의 유명한 시조이자 드라마 속 주인공인 황진이가 벽계수를 향해 읊는 시조이다. 벽계수는 당시 왕족을 뜻하며 명월은 황진이의 기명이었다는 점을 떠올려 볼 때, 중의적인 의미를 담아내면서 임을 향해 주체적으로 자신의 마음을 전달하는 기생 황진이의 자기표현을 볼 수 있는 대목이다. 청산 속에 흐르는 푸른 시냇물을 벽계수로, 빈 산을 가득 채운 밝은 달을 명월로 표현하며 한번 가면 돌아오기 어려운 인생과 덧없음을 표현한 내용이다. 극 중에서 자신은 절대 황진이에게 유혹을 당하지 않을 것이라 자신했던 벽계수에게 후회하지 말고 자신과 더불어 풍류를 즐기자는 황진이의 당찬 모습에서 기생의 주체적인 모습을 보여주고 있다.

대중매체 속의 황진이를 통한 기생의 모습은 더 이상 구속과 억압을 받는 천한 신분의 여성이 아니다. 자유로움과 주체적인 여성을 보여주고 있다. 그러나 이것은 드라마 속 허구의 모습이 아니다. 물론 조선시대 보수적인 신분계급제 속에서는 많은 제한이 있었지만 실제 전통예인 기생 역시 드라마 속 황진이처럼 주체적인 예술인으로서의 모습을 보였다. 매혹적이고 화려한 이미지 뿐 아니라 스스로의 삶을 결정하고 예인으로서의 자존심을 굽히지 않았던 주체적인 모습을 보이며 대중들에게 사랑받던 오늘날 연예인과 같은 계층이었던 것이다. 오늘날의 대중들 역시, 대중매체 속에서의 여성의 모습을 구속과 예속보다는 자유로움과 주체성 있는 여성을 선호한다. 비록 기생의 삶이라 할지라도 이러한 여성상에 대한 기대가 대중매체에도 보여지고 있는 것이다.

이렇듯, 황진이와 같은 기생콘텐츠는 때로는 사대부들을 풍자하고 농락하기도 하고 주체적으로 사랑을 결정하기도 한다. 이러한 억압 속 자유로움이 대중을 열광케하고 주체적인 인간상을 결합시킨다. 더불어 오늘날의 억압받는 다양한 일상 속 현실가운데 황진이가 보여주는 주체성이 대리만족을 하게 해주는 소재가 되기도 한다.

기생 황진이는 오늘날, 보이지 않는 경쟁과 억압 속에서 내재되어 있는 현대인의 욕망과 일탈을 대신 꿈꿔주는 존재가 되었다. 황진이를 통해 본 '기생'콘텐츠는 이러한 대중들의 욕망을 대신 충족케 하는 가치 있는 소재가 되었다.

02 영화 〈해어화〉

기생은 예로부터 '해어화'라고 불리었다. '말을 아는 꽃'이라는 뜻이다.이것은 양귀비를 두고 당나라의 현종이 지칭한 표현으로 양귀비의 아름다움과 지적인 미에 대한 비유이다. 이렇듯 기생은 외모는 물론이고 지식과 교양을 겸비했다는 점에서 오늘날의 기생에 대한 그릇된 인식과는 분명 차이가 있음을 알 수 있다. 이러한 관점에서 2016년에 개봉한 영화 〈해어화〉를 주목할 필요가 있다. 영화 〈해어화〉는 권번에 소속되어 있던 예인 기생들의 삶과 경쟁, 우정과 사랑 등을 통해 기생의 다양한 역할을 제시하며 대중들에게 기생에 대한 새로운 이미지를 보여주었다.

영화 〈해어화〉는 실존 인물이자 평양 기성권번 출신인 기생 '왕수복'을 모델로 하여 제작되었다. 권번에서는 전통예인으로서의 예술적 기예를 습득하였으며 1930년대 이후에 대중 음악분야로 진출하여 최고의 인기를 누렸던 왕수복의 화려했던 삶을 조명하였다. 특히 영화의 시대적 배경인 일제강점기는 실제로 권번이라는 기생조합이 성행하였는데 주인공인 '소율'과 라이벌이자 친구인 '연희'의 모습 속에서 기생의 역할과 역경의 시대 속에서의 여성으로서의 삶을 보여주고 있다. 그러나 실제로는 '연희'라는 인물은 가상의 인물이다. 그러나 소율과 경쟁자이자 친구에게

영화 <해어화>의 포스터[1]

배신을 당하는 비운의 여성상의 스토리텔링으로 보다 극적인 전개를 보여주는 중요한 인물이다.[2]

이 영화는 일제강점기 말 마지막 권번 기생을 배경으로 한다. 마지막으로 남은 조선의 권번인 '대성권번'내에서 둘도 없는 친구이자 빼어난 실력의 예인이었던 '소율'과 '연희'는 까다로운 권번의 교육과정을 이수하며 최고의 기생이 되었고 빠르게 변화하는 시대에 발맞추어 대중음악 분야에도 눈을 뜨게 된다. 결국 대중음악 가수로 길을 걷게 된 연희의 모습을 통해 당시 기생 출신 가수들의 세련된 외모와 실력을 엿볼 수 있다. 더불어 기생 출신 가수들의 실력과 더불어 대중의 인기 또한 상당했음을 알 수 있는 대목이다. 또한 소율이 풍류방의 성악곡인 '정가'를 부르는 장면은 서정적인 가사에 맞추어 전통예인으로서의 복식을 갖춘 기생의 모습을 유추할 수 있는 대목이다. 영화 〈해어화〉 에 등장하는 기생의 모습과 음악적 활동 가운데 주목할 점은 다음과 같다.

1) 정희연, 한효주-천우희-유연석 영화 〈해어화〉 4월13일 개봉 확정 〈https://sports.donga.com/3/all/20160218/76527964/1〉, (검색일: 2023. 9. 8.).

2) 김지혜, 「영화 〈해어화〉에 나타난 전통예인 기생의 특징연구」, 『인문사회 21』, 제14권 제2호, 2023, p 2171.

첫째, 기생과 접대부를 나누는 장면이다. 이것은 일패기생과 이패, 삼패기생을 구분하는 작업으로 실제 존재했던 기생의 등급이다. 어려운 교육과정을 이수하고 최고의 경쟁을 뚫은 자만이 명기가 되었고 곧 일패기생이 되었다. 일패기생의 자격증을 가진 자만이 극장이나 요릿집 등에서 활동할 수 있었으며 일반 기생보다 수 배의 수익을 얻었던 것으로 알려져 있다. 또한 권번 내 최고의 수장인 행수기생 또한 실제 존재했던 역할이다.

둘째, 권번 내 교육기관이 존재했다는 점이다. 영화 〈해어화〉에서도 등장하듯 예술활동 외에도 지식과 교양을 습득하는 기생학교가 실제로도 존재했다.

셋째, 기생의 화려한 복식이다. 극 중에서도 대중음악의 길로 가게 된 '연희'의 복식은 보다 화려하게 묘사되었고 전통예인으로 남았던 '소율'의 복식은 단아하고 정통 한복의 모습을 고수하는 것을 볼 수 있다. 이는 실제 1930년대 이후 대중음악으로 전향한 기생들의 엽서사진에서도 볼 수 있는 대목으로 실용적인 양장의 복식을 입었음을 알 수 있는 대목이다. 실제 당시 기생들이 유행을 선도하였으며 다양한 장식과 소품을 활용하며 광고모델로 활약했음을 알 수 있다. 전통예인 기생의 복식을 보면, 옛 풍류방 선비들이 부르던 정가의 개념과 연결된다. 아정한 음악이자 바른음악正歌을 선호하는 양반들의 취향에 맞게 복식 역시 바르고 단정하게 예의를 갖추는 것이 품격이라 생각했기 때문이다.

넷째, 기생의 민족적 정서이다. 연희가 불렀던 '조선의 마음'이라는 곡은 비단 영화 속 대중가요만 뜻하는 것이 아니다. 당시 민족의 한이자 애환을 대변하는 음악이자 기생들의 주체적인 민족적 정서를 보여주는 대목이다. 일제강점기 당시의 시대상을 본다면 영화에 등장하는 일본의 최고 권력자의 제안을 거부한다는 것은 사실상 불가능한 일이었을 것이다. 그러나 영화속 주인공인 소율은 거절한다. 비록 낮고 천한 계급이지만 주체적이었으며 일패기생으로서의 자존심을 버리지 않았음을 보여준다. 그러나 기생의 복잡한 이중적 모순은 극 중에서도 여실히 드러난다. 바로 행수기생이었던 '산월'의 대사에서 나타난다. 행수기생으로서의 역할 가운데 그 모순적 기능을 여실히 보여준다.

> 어찌하여 기생을 꽃이라 부르고 노름값을 화대라 부르는지 아느냐
> 꽃은 한번 꺾여 화병을 꽂으면 그뿐
> 원하는 것을 이뤄줄 사내에게 꺾이려고 피는게 기생이란 말이다.
> - 영화 <해어화> 속 기생 '산월'의 대사 中

또한 영화에 등장하는 전통 예인기생의 모습은 애국운동을 펼치며 민족성을 지닌 계층으로 묘사된다. 실제 권번 기생들이 일제강점기에 애국운동과 독립운동가로서의 행적을 보였다는 기록도 전해지고 있다.[3] 이렇듯, 영화 〈해어화〉에 나타난 기생의 이미지는 기생과 권번에 대한 사실과 허구가 혼재되어 있다. 그러나 영화 속 기생콘텐츠를 통하여 우리에게 전달하고자 한 메시지는 분명하다. 권번에서 숱한 경쟁을 통해 음악교육을 받았고 이후 대중이 열광했던 연예인 혹은 예술인으로서의 대중음악가의 길을 걸었던 기생은 일제강점기 비운의 여성이었지만 주체적이고 민족적인 사명을 가지고 인생을 개척하고자 했던 최고의 음악인이었다는 점이다. 그러나 이러한 사실 관계나 올바른 배경지식이 결여된

3) 황미연, 「일제강점기 기생의 사회적 활동과 그 역사적 의미」, 『민속학 연구』, 제 28권, 2011. p.135.

채, 허구의 개념이 들어간 영화의 스토리로만 기생을 이해한다면 기생에 대한 그릇된 이미지는 여전히 같은 자리에 머무를 것이다. 영화 〈해어화〉는 비록 드라마 〈황진이〉만큼의 대중적 인기를 끌지는 못하였으나 일제강점기 실제 존재했던 권번과 기생을 조명했다는 점에서 충분히 그 가치가 있다.

03 음악극 〈낭만기생〉

음악극이란, 음악과 무용, 노래 등을 결합한 연극형식을 포함한 개념이다. 클래식 분야의 오페라, 대중음악 분야에 뮤지컬이 있다면 전통음악 분야에서는 판소리를 기반으로 하는 창극을 포함하여 '음악극'이라는 개념의 표현을 사용한다. 특히 최초의 극장인 협률사와 이후 개칭된 원각사의 정신을 계승한 정동극장에서 '기생' 콘텐츠를 활용하여 음악극을 무대에 올렸다는 점은 필히 주목할 만 하다.

2019년 7월 26일. 정동극장에서 음악극 〈낭랑기생〉이 첫 선을 보였다. 그동안 드라마와 영화에서는 '기생'에 대한 주제로 매체에 등장한 적은 있었으나 극장에서 음악극 형태로는 '기생'이라는 개념을 적용한 것은

음악극 <낭랑기생>의 포스터 1)

1) 정동극장 홈페이지, 〈https://www.jeongdong.or.kr/portal/main/main.do〉 (검색일: 2023.9.1.).

'낭랑긔생'이 처음이었다. 음악극 〈낭랑긔생〉은 한남권번 출신 기생 '강향란'을 모티브로 제작한 음악극이다.

정동극장이 전통예술분야의 소재발굴을 위하여 2017년부터 기획한 작품시리즈 일환 중 하나이다. 아버지의 빚으로 인해 기생으로 팔려가게 된 여인이 기명 '향란'이라는 이름으로 살아가며 그리는 예인 기생의 이야기이다. 1930년대부터의 기생은 더 이상 전통한복을 입고 전통음악만을 추구하는 계층이 아니었다. 대중의 요구에 부응하며 유행을 선도하였던 오늘날의 연예인과 같은 존재였다.

음악극 〈낭랑긔생〉에서는 하루가 다르게 쏟아지는 서양식 신문물과 새로운 것을 좇는 대중의 심리에 부응함과 동시에 전통예인으로서의 가치를 지키는 예술인으로서의 삶을 지켜내고자 했던 5명의 기생의 모습을 꽤 유쾌하게 전달하였다.

음악극 〈낭랑긔생〉은 실존했던 기생 '강향란'을 주목했다는 점에서는 역사적 인물에 초점을 두었으나 내용전개에 있어서는 '픽션음악극'이다. 조선 최초로 단발을 하고 나타나 화제를 모았던 '향란'의 기개와 당찬 기

음악극 <낭랑긔생>의 포스터 2 [2)]

생의 이미지를 부각시켰다는 점에서는 기생의 신여성상에 대한 이미지를 보여주고자 했다는 점을 알 수 있다.

음악극 〈낭랑긔생〉에 보이는 기생의 캐릭터와 실제 기생의 모습은 상황묘사의 간극은 있으나 독립운동과 문학가로서의 역할과 같은 개념은 실제와 크게 다르지 않다. 흔한 이름 간난이로 불리며 가정에서조차 주목받지 않았던 여성이 권번에 들어가 가무를 익히며 기생으로 새롭게 태어나 예술인으로 살면서 기명인 '향란'이라는 이름으로 주체성을 가지고 살아가는 모습에서는 마치, 기생의 스스로의 삶을 개척하는 근대 예인 기생의 모습과 닮아있음을 알 수 있다.[3)]

음악극 〈낭랑긔생〉이 던지는 메시지는 분명하다. 빠르게 변화하는 근대 문화 속에서도 그들의 자존심과 예술인으로서의 가치를 지키고 전통예술을 지키려는 모습에서 민족적인 정서와 애국의 모습이 보였다는 점이다. 이것은 오늘날 대중문화 중심으로 치우친 예술문화 형태가운데 전통예술이 살아남기 위해 후대를 키워내고 지키며 전승하고자 고민하는 수 많은 전통예술인들의 삶과 꽤 흡사함을 알 수 있는 대목이다.

전통예술과 그것을 지켜내는 예술인들은 일제강점기 권번에서의 기생들이 그러하였듯, 전통예술인들의 예술적 사명과 자주적이고 민족적인 정서가 없이는 결코 이루어낼 수 없음을 보여준다. 또한 오늘날 국악이라고 불리우는 우리의 전통음악은 전승이 끊기지 않고 후대에 전승하는 과정이 꼭 필요하다는 점에서 그 의미가 있다.

---

2) 정동극장 홈페이지, 〈https://www.jeongdong.or.kr/portal/main/main.do〉 (검색일: 2023.9.1.).
3) 김태훈, 「낭랑긔생-기생이 세상에 던지는 질문」, 『주간경향』, 1336호, 2019.

04 다큐멘터리 〈기생 : 꽃의 고백〉

다큐멘터리 〈기생: 꽃의 고백〉은 지금은 백발노인이 된 기생 출신 할머니들의 인터뷰로 시작한다. 기생학교라고 불리우던 '권번'에서 전통음악과 가무악을 배운 진짜 예인 기생을 찾기란 쉬운 일이 아니었다. 영화 속에서 카메라를 비추는 순간, 그녀들은 한사코 출연을 거부하는 모습을 보였다. 지금까지 그 누구에게도 말하지 못한 비밀을 꺼내기에는 아직도 세상은 기생에 대해 차갑고 냉정했기 때문이라 추측할 수 있다. 어렵사리 인터뷰를 하게 된 그녀들. 인터뷰 중에는 비록 얼굴을 드러내지는 못하지만 자식에게도 숨겨야만 했던 가슴 아픈 세월들을 오직 카메라 앞에서만 하소연한다. 다큐멘터리 〈기생: 꽃의 고백〉은 과거를 숨기고 살아야 했던 기생 출신 여성들을 주목하고 특히, 문화예술인으로서의 활동했던 기억의 현장을 그들의 인터뷰와 고증을 토대로 직접 찾아가 설명해주는 방식으로 스토리를 전개했다.

기생 출신 할머니들은 입을 모아 공통적인 의견을 내었다. "우리는 절대 몸을 팔지 않았다. 오로지 노래하고 무용을 해서 돈을 벌었지. 우리 같은 일패 기생들은 그런 사람이 아니다. 오히려 권번 출신 기생임을 드러내려 권번의 표식을 차고 다녔다"라고 증언하는 것을 볼 수 있다.

20세기 초 대중문화계는 기생들이 주름잡았다. 아무리 예쁜 꽃도 화려하게 피었다가 언젠가는 시들 듯 기생들은 대중들의 왜곡된 시선과 무관심으로 인해 점차 소리없이 사라져갔다. 이렇게 사라져간 권번 소속 여성 음악인 혹은 여성 예술인들의 모습은 담은 영상이 바로 〈기생 : 꽃의 고백〉이다. 그동안 대중에게 '기생' 관련 콘텐츠로서 무대에 올려진 분야는 영화 혹은 음악극, 뮤지컬 분야였다. 장르 특성상 기존의 '기생'을 콘텐츠화 한 작품들은 허구의 내용이나 가상의 인물을 추가하였다면, 다큐멘터리 〈기생: 꽃의 고백〉은 철저하리만큼 인터뷰와 역사적 고증을 통해 역사적 발자취를 따라가는 방식을 취했다. 특히 군산의 소화권번 출신인 '장금도 명인'은 일생동안 기생임을 숨기며 사시다가 노년의 시기가 되어서야 얼굴을 드러내어 기생임을 밝힌 몇 안되는 '살풀이 춤'의 기생 출신 명인이다. 최승희와 같은 당대 최고의 무용수도 군산의 소화권번에 와서 춤을 배워갔을 정도로 소화권번은 최고의 실력을 뽑냈음을 알 수 있는 대목이다.

영화는 기생에 대해 연구하는 학자와 목격자들, 기생의 흔적을 찾아가는 지역 언론사의 기자, 전통 무용을 전수받은 무용가 들의 설명을 중심으로 스토리를 이어갔다. 때로는 일본에까지 기생 요릿집이 수출이 되어 경성의 요릿집과 이름이 똑같은 '명월관'을 주목하기도 하였는데, 이를 위해 동경 '명월관'의 위치를 추적하려 일본을 찾아가 당시의 자료와 전문가의 고증을 얻기도 하는 등 기생문화 유산의 흔적을 따라 영상을 이어갔다.

이 영화를 연출한 감독은 영화를 제작했을 당시의 어려움을 다음과 같이 회고하기도 하였다. "진짜 기생을 찾아 섭외를 하는데만 꼬박 2년이

다큐멘터리 <기생: 꽃의 고백> 1)

걸렸다. 나조차도 기생에 대한 선입견이 있었음을 알게 되었다. 누군가가 나서서 퇴폐적인 이미지로 덧씌워진 기생을 바로잡지 않는다면 누가 우리 대중예술인이었던 기생의 오명을 벗겨줄까"라고 말이다.[2]

다큐멘터리 영화 〈기생: 꽃의 고백〉은 평생 감추고 살아야만 했던 기생 출신 여성들의 '서글픈 꼬리표'의 현실을 보여줌으로 문제를 인식하게 만들었다. 그녀들이 활동했던 시간보다 더 오래 함구해 온 만큼, 입을 열기도 쉽지 않았으나 그녀들의 자부심과 전통예인으로서의 열망은 아직도 여전했다. 기생의 흔적을 찾아가는 일련의 과정 중에서 영화는 그녀들의 예술인으로서의 삶, 예인으로서의 삶을 비밀스럽게 풀어내었다. 이렇듯, 다큐멘터리 〈기생: 꽃의 고백〉은 혼재해왔던 기생의 신비스런 이미지와 왜곡된 시선을 철저히 내려놓고 오로지 사실관계 속에서 그녀들의 발자취를 따라갔다.

마지막 영상은 일본에 아직도 존재하고 있는 '게이샤'의 공연과 그녀들의 인터뷰로 마무리한다. 오랜 세월 일본의 전통악기와 전통 가무를 그대로 간직하고 있는 일본 게이샤들의 예술성을 바라보는 한 학자의 모습이 비단 이웃나라의 비슷한 개념의 기생공연만을 드러낸 것은 아니다.

있는 그대로 기생을 바라봐주며 게이샤 문화를 지키려는 일본의 전통예술문화에 대한 새로운 접근과 더불어 조선의 기생을 머릿속으로나마 그려보게 된다.

---

1) EBS,홈페이지,〈 https://www.eidf.co.kr/dbox/movie/view/593〉 (검색일 :2023.11.30.).

2) 이소연,「기생, 꽃의고백 제작의도와 비하인드: 진짜 기생찾는데 2년 걸려」,『스포츠 투데이』 2018.1.29.

epilogue

1930년대 기생은 쪽진머리에 한복을 곱게 차려입은 여성이 아니었다. 세련된 서구식 복장에 지금 보아도 손색없는 미모를 지닌 그들의 사진을 보면 현대의 연예인을 방불케 한다. 명성과 인기를 얻은 기생들은 대중의 사랑을 받았고 원두 커피와 와인을 즐겨 마시며 유행을 선도하였으며, 상류층의 삶을 영위했다.

관기제도가 폐지되기 전으로 거슬러 올라가면 즉, 1908년 이전까지의 기생은 왕을 위한 예인이었으며 그 활동 무대는 주로 궁과 풍류방이었다. 당시, 기생은 근대로 접어들며 귀족들의 향유 문화였고 여악제도의 대상으로서 없어서는 안되는 엘리트 음악인들이었다. 관기제도가 폐지됨에 따라 관기들은 권번에 들어가 예술활동을 지속하였고 전통예술 계승자로서 다양한 음악적 활동을 펼쳤다. 다만, 전통여악과 기예를 지키려는 기생이 있었던 한편, 대중음악의 길로 경로를 바꾼 기생도 있었다. 이 책에서는 권번에 소속되어 전통여악의 정체성을 지키고 계승하였으며 이를 위해 끊임없이 수련하고 예술적 활동을 펼쳤던 여성들을 예인 기생이라 칭하고, 그녀들을 고찰하였다.

전통분야 혹은 대중분야를 막론하고 기생들은 당시 문화를 수련해 대중에게 시연하는 문화 엘리트로서의 인식이 강했다. 서양문물 혹은 신문화가 유입되면서 기생들은 그러한 신문물 역시 습득하는 것을 당연한 사명으로 받아들였을 만큼, 20세기 초 기생들은 예술문화의 선두계층이었다. 전통음악과 가무악을 기본으로 익혔으며 이후, 신여성의 대표적 모델이었던 기생이 어떠한 연유로 전통예인으로서의 모습이 아닌 창기나 매음부와 같은 이미지로 전락했을까?

국악계 다양한 장르에 초대 인간문화재로서 예인 기생 출신이 다수 선정이 되었던 것은 비단 놀랄 일이 아니다. 기생은 예술인 이전에, 전통예술과 문화를 전승하고 교육받았던 전통음악인이기 때문이다. 그동안 기생에 대한 음악적 조명이 시도된 바 없기에 이 책에서는 일제강점기 권번에 소속되어 활동했던 전통예인 기생들의 삶을 고찰, 그녀들의 음악적 삶과 활동을 음악콘텐츠로 분류하여 서술하였다. 다시한번 정리하자면 다음과 같다.

일제강점기 이전의 기생은 관기로서 전통 가 · 무 · 악을 연행하는 여악제도의 중심이었다는 사실이다. 관기제도가 폐지된 이후로는 전통예인 기생은 명확한 교육체계속에 전통예능 교육을 받으며 음악활동을 하기 위한 방편으로 경성과 평양근교에 존재했던 권번에 소속되어 활동을 펼치게 되었다. 공연 스케줄이나 각종 권번에서의 음악활동들이 신문에 게재되기도 했다. 고급 기생들은 예약을 통해서 기다림 끝에 만나야 하는 존재들이었고 그나마도 보통의 서민이나 타지방에서는 만나기조차 쉽지 않은 대상이었다. 그들은 지금의 연예인처럼, 대중의 관심을 받는 위치에 걸맞는 모범적 행동도 많이 했다. 애국이나 봉사적 성격을 지닌 사회적 참여에도 앞장선 기록이 남아있다. 또한, 그들의 권번에서의 음악적 활동이 가능한 데에는 근대 극장의 역할이 컸음을 알 수 있다. 극장 무대에 당시 소리꾼이나 광대, 풍물패 등이 무대를 꾸리긴 했으나, 대중들의 인식 속에서 환영받던 집단은 역시 기생들이었기에 기생들은 극장이라는 공간을 통해, 다양한 레퍼토리의 전통음악 공연을 펼쳤다. 특히, 공연을 통해 수많은 장르변용과 연극적 무대를 선보이기도 하였다.

권번 기생들이 펼쳤던 공연종목은 전통음악분야와 대중음악 분야로 나눌 수 있는데 전통음악분야는 판소리를 비롯한 소리분야와 가야금, 거문고 등의 전통악기 공연, 승무와 검무와 같은 춤 공연이 있었다. 이후, 신문물이 들어오며 권번 기생들의 공연도 다양하게 변용되었는데, 경연을 통해 '사고무'와 같은 창작 무용이 등장한 것이다. 또한 판소리도 극장무대에 맞게 '창극'으로 확장되었으며 그 중심에는 기생들이 있었다. 또한, 음반을 제작하고 영화를 만드는데 있어서 기생은 섭외 1순위였다. 엔터테인먼트의 시초였던 것이다. 권번券番은 현재의 연예기획사 역할을 했다. 수익의 분배도 현재의 연예기획사와 비슷하다. 10대들로 이루어진 권번 산하의 기생학교는 연습생 제도와 흡사하였다. 그도 그럴것이 이미 권번에서 기생에 대한 교육은 철저하고 냉정하리만큼 혹독한 예절과 교양교육을 받았기에 가능한 일일 것이다. 연기, 무용, 악기 연주는 물론 예절 글씨와 각종 지식까지 혹독하게 학습 받았다.

1920~1930년대는 유성기 음반과 다양한 신문매체의 등장으로 기생은 신민요 등과 같은 대중음악 분야의 가수나 신문광고 모델로 대거 진출하게 된 시기였다. 이 당시 권번 소속 예인기생들은 양분화되었다. 전통예능의 전승자로서 남을 것인지, 아니면 대중음악 분야로 진출하여 더 확실한 부와 명예를 얻을 기회를 얻을 것인가에 대한 고민을 안겨주기도 하였다. 그러나 이 전통예악의 전승자로서 자리를 지켰던 예인 기생들은 이후, 인

간문화재로 선정되기도 하는 등의 전통적 음악행보로 이어지기도 했다.

그렇다면 기생들은 왜 잊혀졌을까. 전통예악의 전승자이자 1930년대 최고의 대중예술인으로서의 기생을 기억하는 자료는 적지 않음에도 기생의 이미지는 부정적인 면이 많은 것이 사실이다. 이것은 이 책을 진행하는 과정에서의 한계점이기도 하거니와 앞으로의 예인 기생의 연구의 좌표이기도 하다.

첫째, 전직 기생들의 증언을 얻기가 어렵다는 점이다. 자식들에게 평생 알리지 않은 전직 기생들이 많았고 그들의 증언을 얻기란 여간 어려운 일이 아니기 때문이다. 또한 이미 권번 소속 예인기생이었던 그녀들은 대부분 타계하셨을 것으로 추측되는 바, 그녀들의 음악적 삶을 조명하는 것이 쉽지 않은 작업이다. 그러나 기록이나 인터뷰자료에 의한 소수의 논문을 보면, 그녀들의 회고를 통해 기생에 대한 자부심이 분명 묻어나온다. 권번이라는 정체성은 당대의 자랑이었다고 힘주어 말한다. 그럼에도 불구하고 왜 그들은 자신의 정체성과 과거를 지워야 할까. 일제강점기를 거치며 그 이미지가 왜곡되어 '퇴폐적'이라는 이미지가 덧씌워졌고, 실제와 다른 접대 여성의 이미지가 그들을 음지로 숨게 만들었기 때문일 것이다. 특히, 일제강점기 말기에 기생의 본업인 가무가 금지되고 접대만 허용되면서 예술인으로서의 기생은 사라지고 접대부와 기생을 동일시하는 용어의 편견이 강화된다. 이는 최고의 예인으로 취급되면서도 동시에 계급적으로 천시하는 조선시대부터 내려온 기생에 대한 이중잣대 또한 관련이 있다. 게이샤 문화를 전통문화로 인식하고 계승하는 일본과는 비교되는 부분이다.

둘째, 전통문화 전승자들이었던 기생들은 활동 당시, 주로 예명을 썼다는 점이다. 기록에 의하면 중복되는 예명이 대거 등장한다. 또한, 국악계의 다양한 장르의 음악을 전수받은 이들 중, 자신의 스승이 기생이라는 사실을 숨긴 사례가 있기에 옛 자료를 더듬어 당시를 추론한다는 것이 쉽지 않다. 또한 일제강점기에는 시대의 불운 속에 명성을 얻었던 기생들이라 할지라도 자신의 이름을 지워야 했다. 살아생전 기생임을 밝히지 못하다가 한참의 시간이 흐른 후에야 지역문화재로 확정되어 돌아가신, 기생출신 '장금도' 명인 역시 그러한 사례 중 하나다. 군산의 소화권번에서 춤과 창, 시조 악기연주를 배웠던 장금도 선생은 탁월한 춤사위로 입소문이 나 당대 최고의 춤꾼들에게 전통춤을 사사했다. 하지만 그녀의 나이, 아흔을 맞이했을 때 찾아간 그녀의 모습은 자신의 전직을 비밀에 부치고 요양원에서의 조용한 삶을 살아가고 있었다. 최고의 예술가였던 기생의 존재를 숨기다보니 이보다 훨씬 못한 수준의 대상을 국악계에선 명인으로 규정하고 전통문화로 공식화하면서 오히려 문화적 수준을 낮추고 음악적 자산을 버리는 결과를 낳았다며 안타까워했던 일화를 보노라면, 아쉬운 내용임에 틀림이 없다.

마지막으로, 전통예인 기생이라 할지라도 권번해체 이후의 삶을 추적하기 쉽지 않다는 점이다. 이 책에서 권번에 소속된 기생으로 한정한 것도 이러한 이유이다.

그러나 이러한 한계 속에서도 일제강점기 권번은 성행하였고 소속 기생들은 생계를 유지하며 최고의 실력을 유지하기 위해 부단히 연습하며 최고의 예술인으로 성장하였다. 관기로부터 시작했거나 기생학교의 어린 기생으로부터 권번의 명기가 되기까지 이들은 문화 · 예술적으로 격변의 시기에 대중의 사랑을 가장 많이 받았던 계층이자 연예인이었다. 전통예술을 전승했던 권번 출신 기생들이 한 분이라도 더 살아계셨을 때 기록을 남기지 못한 점, 기생에 대한 사회의 평판이 음악적 조명 없이 삼패 기생이나 일본 유곽에서 시작한 퇴폐기생으로만 인식되는 점 등 아직도 기생에 대한 편견과 선입견은 여전하다.

따라서, 이 책의 주제이자 연구대상인 예인기생과 그들의 소속이었던 권번에 대한 연구는 기생에 대한 고찰에 있어 필수적인 연구주제가 되었다. 기생이라는 존재가 없었다면, 오늘날 전통음악으로 한정되는 국악의 장르 중 궁중예악이나 풍류음악의 일부 장르는 사라졌을 지도 모를 일이다. 굴곡진 역사 속에서도 현재의 국악의 맥이 끊기지 않았던 이유는 기생이라는 직업군과 권번이라는 소속사가 존재했기 때문이다. 또한 기생은 대중음악계에 있어서 연예인의 시초와 같은 최고의 예술인이자 음악인이었다. 관기로서 궁중음악을 연행하였고 민기로서는 권번에 소속되어 정악과 민속악에 이르기까지 장르를 넘나들었던 기생집단이야 말로 최고의 엔터테이너가 아니었을까? 최근, 한류의 바람은 드라마에서 시작하여 대중음악으로, 다시 영화와 OTT에 의한 K-콘텐츠 열풍으로 이어지고 있다.

이 책을 마치며, 이제는 그 한류의 중심축의 방향이 전통음악계로 이어져야 한다는 바람이다. 한 시대를 풍미했던 기생들의 예술활동이 비단, 권번에 소속되어 펼쳤던 무대공연과 자료에만 그치는 것이 아닌 그녀들의 예술세계와 관련한 음악콘텐츠 연구로서 선제적으로 진행되어야 할 것이다. 이를 위해서 이 책의 연구가 물꼬가 되어 앞으로 기생들의 음악문화를 통한 전통예인과 대중음악계의 신여성으로서의 기생의 음악문화 등의 연구까지 이어지기를 기대해본다. 더불어 향후, 대중들이 향유할 수 있는 영화와 드라마, 뮤지컬 등의 문화콘텐츠의 원천소스로서 '기생'이라는 주제가 활용될 수 있기를 바라며 다음과 같은 몇 가지를 제시해본다.

첫째, 먼저 기생에 대한 정확한 개념 설명이 우선되어야 한다. 관기 출신부터 권번소속 기생까지로 범위를 두고 예인이었던 기생과 삼패기생을 명확히 구분하고 그들의 정체성과 왜곡에 대한 이해를 돕는 작업이다.

두 번째, 전통음악분야의 기생의 음악 활동에 대한 명시이다. 기생에 대한 내용 중 전통음악의 전승자이며 현재 국악 장르에 관련한 기생들의 공연과 음반, 권번의 전통음악 관련 교육과정에 대한 이해를 돕는 내용을 삽입한다.

세 번째, 대중음악 분야의 기생의 음악활동이다. 1930년 이후, 권번 기생 출신으로 대중음악 분야로 진출한 기생들의 행보에 대한 내용을 삽입한다.

넷 째, 대중들이 환호했던 그들의 음악문화 및 복식문화이다. 이른바 모던걸의 이미지로 대표했던 신여성 기생들의 활약상을 삽입한다.

다섯 째, 전통예인 기생 출신들의 문화재 활동이다. 대중음악 분야로 진출하지 않고 자리를 지켰던 기생들 중 인간문화재로 선정된 이들이 있다. 이들에 대한 조명이다. 그러나 기생임을 숨기지 않았던 이들 중, 소외되어 인정을 받지 못한 이들도 있으므로 알려지지 않은 기생들의 행적연구 또한 이루어져야 할 것이다. 위에 명시한 것들을 중심으로 향후, 일반 대중으로 하여금 기생에 대한 잘못된 개념을 바로잡는 한편 기생의 전통음악문화에 대한 정보가 친숙하게 되기를 바란다. 이를 통하여 오늘날 이미 사라진 '기생'이라는 계층에 대한 올바른 이해와 그녀들의 음악 · 문화적 삶의 조명이 지속적으로 이루어지길 희망한다. 또한, 기생의 음악적 업적에 대한 연구가 일제강점기 터널을 지나며 덧씌워진 창기의 이미지가 아닌 전통여악의 향유층으로서 전통음악계에 울림을 주는 세련된 음악문화집단이 되길 희망한다.

이 책에서의 연구는 사실관계를 통한 논증의 개념의 것이 아니다. 자료에 의한 사실을 펼친 것 뿐이다. 전통예인이었던 기생의 삶이 그러하였듯 그녀들의 삶의 행적과 예술적 행보 가운데에도 분명 역사적 평가의 이면이 있다. 그러나 오늘날 기생에 대한 연구를 할 때 묵시해서는 안 된다. 굴곡진 세월 속에서도 자부심을 가지고 예술적 활동을 했던 한 여인으로서의 모습으로 공감대를 형성하는 작업이 꼭 필요하다는 점이다. 이 연구는 당시의 기록과 기사, 음반과 음악을 통해 당시 기생의 예술적 활동만을 콘텐츠화 시켜 놓은 묘사적 서술의 작업이다. 이러한 작업이 이후, 축적한 방대한 데이터를 가지고 그녀들의 삶과 행적을 더 추론할 수 있기를 바라며 이 책이 또 하나의 초석이 되길 희망한다.

참고문헌

· 가와무라 미나토·유재순(역), 『말하는 꽃, 기생(妓生)』, 소담출판사, 2002.

· 고재현, 「근대 제도개편에 따른 교방 및 기방 무용의 변화 양상과 특징 고찰: 갑오경장 이후 해방까지(1894~1945)」, 용인대학교 석사학위논문, 2006.

· 권도희, 「20세기초 음악 집단의 재편」, 『동양음악』, 제20권, 1989.

· 김경동, 『현대의 사회학』, 박영사, 2008.

· 김기현, 「<아리랑>노래의 형성과 전개」, 『退溪學과 韓國文化』, 제53권, 1995.

· 김동욱, 『한양가-한국고전 문학대계』, 민중서관, 1974.

· 김민수, 「1910년대 중후반 판소리와 창극의 전개양상: 매일신보의 기사를 중심으로」, 『국악원논문집』, 제30권, 2014.

· 김성혜, 「『조선일보』의 國樂記事: 1920~1940(1)」, 『한국음악사연구』, 제12권, 1994.

· 김소연, 「한국 근대 여성의 서화교육과 작가활동 연구」, 『미술사학』, 제20권, 2006.

· 김수현, 「1910년~1920년대 기생의 서화(書華)교육과 활동연구: 기생 합작도와 오귀숙의 글씨에 대하여」, 『동양학』, 제75권, 2019.

· 김영희, 『개화기 대중예술의 꽃, 기생』, 민속원, 2006.

· 김영희, 「일제시대 기생조합의 춤에 대한 연구: 1910년대를 중심으로」, 『무용예술학연구』, 제3권, 1999.

· 김용숙, 『韓國女俗事』, 민음사, 1990.

· 김유경, 『김유경의 문화산책 단성사와 아리랑, 영화와 노래의 탄생』, 프레시안, 2019.

· 김은정, 「근대적 표상으로서의 여성패션 연구: 모던걸(개화기-1945)을 중심으로」, 『아시아여성연구』, 제43집, 2004.

· 김인호, 『21세기의 눈으로 조선시대를 바라본다』, 경인문화사, 2009.

· 김점도, 『유성기음반총람자료집』, 신나라레코드, 2000.

· 김주영, 「근대 한국춤 형성에서의 외래춤 도입 과정과 그 변모양상에 관한 연구」, 중앙대 석사학위논문, 1998.

· 김진송, 『서울에 딴스홀을 허하라』, 현실문화연구, 1999.

· 노동은, 『노동은의 우리나라 음악사 교실 IX』, 낭만음악사, 1994.

· 미즈카니 사야카, 「여악을 계승한 예인으로서의 기생상(像)에 관한 연구: '妓'를 '娼'으로 간주한 '근대 기록자들'에 의한 기생상(像)의 왜곡을 중심으로」, 『역사와 융합』, 제11호, 2022.

· 백현미, 『한국창극사연구』, 태학사, 1997.

· 이화형, 『민중의 꿈, 신앙과 예술』, 푸른사상, 2014.

· 성기련, 『1930년대의 판소리 음악문화』, 민속원, 2021.
· 손종흠·박경우·유춘동, 『근대 기생의 문화와 예술 자료편1』, 보고사, 2009.
· 송미경, 「1910년대 판소리 여성 연행주체의 형성과 성장」, 고려대 석사학위논문, 2008.
· 송방송, 『한국음악학의 방향』, 예솔, 1998.
· 송방송, 『한국음악통사』, 일조각, 1984.
· 송혜진, 「장안사 및 장안사 소속 '일행'의 공연 활동 연구」, 『한국음악사학보』, 제53권, 2014.
· 스즈키 다케오, 『조선의 인식 : 모던일본 조선판』, 어문학사, 1939.
· 신명숙, 「권번의 기예전승을 위한 기생제도와 춤교육연구 :장금도의 구술로 본 소화권번을 중심으로」, 『인문사회21』, 2017.
· 신현규, 『기생: 문화콘텐츠 관점에서 본 권번기생 연구』, 연경문화사, 2022.
· 신현규, 『기생, 조선을 사로잡다』, 어문학사, 2010.
· 신현규, 『꽃을 잡고 :일제강점기 기생인물생활사』, 경덕출판사, 2005.
· 오정임, 「20세기 초 극장설립에 따른 기생 공연양상의 변화 연구」, 경상대학교 석사학위논문, 2007.
· 유민영, 『한국극장변천사』, 태학사, 1998.
· 유민영, 『한국근대연극사』, 단국대학교 출판부, 2000.
· 우선영, 「극장구경과 활동사진 보기 : 충격의 근대 그리고 즐거움의 훈육」, 『역사비평』, 제64권, 2003.
· 유송오·이은영·황선진, 『복식문화』, 교문사, 1995.
· 유송옥, 『한국복식사』, 수학사, 1990.
· 유수진, 「연극개량의 전개와 극장적 공공성의 변동」, 『현대문학의 연구』, 제42권, 2010.
· 이난향, 『남기고 싶은 이야기들』, 중앙일보사, 1971.
· 이능화·이재곤(역), 『조선해어화사』, 동문선, 1992.
· 이명현, 「영상서사에 재현된 황진이 이야기의 두 가지 방식 :드라마 <황진이>와 영화 <황진이>의 비교를 중심으로」, 『문화과 영상』, 제11권, 제1호, 2010.
· 이영아, 「일제 강점기 우리나라 여성의 머리모양 변화과정에 대한 연구」, 『동양예술』, 제19권, 2012.
· 이재용, 「예인집단을 중심으로 한 근대초기 한국춤 연구」, 성균관대학교 석사학위논문, 2001.
· 이정노, 「식민 담론의 표상으로서 평양기생의 춤,활동」, 『한국무용연구』, 제38권, 제1호, 2020.
· 이종숙, 「조선시대 지방 교방 춤 종목 연구」, 『순천향 인문과학논총』, 제31권, 제1호, 2012.
· 이진원, 『조선미인보감 기예란』, 민속원, 2007.
· 이태화, 『일제강점기의 판소리 문화연구』, 박이정, 2013.
· 임혜정, 「근대 일본의 박람회와 기생의 가무 활동」, 『공연문화연구』, 제24권, 2012.
· 장덕순, 『黃眞이와 妓房문학』, 중앙일보사, 1983.
· 장사훈, 『국악명인전』, 세광음악출판사, 1989.
· 장사훈, 「이조의 여악」, 『아세아여성연구』, 제9집, 1970.
· 장사훈, 『한국음악사』, 세광음악출판사, 1993.
· 장수지, 「계급해방 속의 倡妓해방」, 『中國近現代史硏究』, 제48권, 2010.

· 장유정, 『근대 대중가요의 지속과 변모』, 소명출판, 2012.
· 전완길, 『한국화장문화사』, 열화당, 1987.
· 정노식, 『교주 조선창극사』, 태학사, 2015.
· 정재호, 『한국속가전집』, 다운샘, 2002.
· 정충권, 「근대초 기생들의 창극 공연 양상과 의의」, 『판소리연구』, 제54권, 2022.
· 정충권, 「20세기초 극장무대 전통공연물의 향유방식」, 『고전문학과 교육』, 제38권, 2018.
· 정하영, 「춘향전 개작에 있어서 신분문제:춘향의 신분이동을 중심으로」, 『한국언어문학』, 제17권, 1979.
· 조선희, 「근대 조선 기생복식 문화에 관한 연구」, 『일본근대학연구』, 제75집, 2022.
· 조영구, 「협률사와 원각사 연구」, 연세대학교 박사학위 논문, 2006.
· 조하나·김미영, 「조선시대 기생(기생)의 존재 양상 고찰」, 『한국콘텐츠학회논문지』, 제21권, 제4호, 2021.
· 최수경, 「명말의 기녀를 둘러싼 문화적 이미지와 그 의미」, 『中國語文論集』, 제31집, 2006.
· 최열, 「망각 속의 여성: 1910년대 기생 출신 여성화가」, 『한국 근현대미술사학』, 2013.
· 최인택, 「일제침략기 사진그림엽서를 통해서 본 기생기억」, 『일본문화연구』, 제67권, 2018.
· 한국고음반연구회·민속원, 『유성기음반 가사집 1~7』, 민속원, 1990.
· 한국정신문화연구원, 『한국유성기음반총목록』, 민속원, 1998.
· 한명희·송혜진·윤중강, 『한국문화예술총서4 우리국악 100년』, 현암사, 2001.
· 한영숙, 「일제강점기 예인들의 사회적 역할과 연주활동」, 『국악교육연구』, 제1권, 2007.
· 한재락·이가원(역)·허경진(역), 『녹파잡기』, 김영사, 2007.
· 한초운, 「조선의 기생」, 『문예구락부』, 제16권, 제13호, 1910.
· 한효림, 「민살풀이춤 명인 장금도 연구」, 연세대학교 박사학위 논문, 2005.
· 황미연, 일제강점기 기생의 사회적 활동과 그 역사적 의미」, 『민속학연구』, 제28권, 2011.

신문자료 및 잡지

· 『대한매일신보』
· 『대한민보』
· 『동아일보』
· 『매일신보』
· 『월간조선』
· 『제국신문』
· 『조선일보』
· 『조선중앙일보』
· 『중앙일보』

· 『황성신문』
· 『東亞經濟時報社』
· 『海日新報』

인터넷자료

· 간송미술관 홈페이지, http://kansong.org/museum/collection/
· 국립국악원 홈페이지, https://www.gugak.go.kr/site/program/board/basicboard/view?menuid=001003002008&pagesize=10&boardtypeid=32&boardid=427
· 국립민속박물관 홈페이지, https://www.nfm.go.kr/home/index.do
· 정동극장 홈페이지, https://www.jeongdong.or.kr/portal/main/main.do
· 한국민족문화대백과사전, https://encykorea.aks.ac.kr/
· 한국영화데이터베이스, https://www.kmdb.or.kr/db/kor/detail/movie/A/06598
· 한국향토문화전자대전, http://www.grandculture.net/korea

조선의 인플루언서
藝人(예인) 기생,
그들의 예술 이야기

저 김지혜